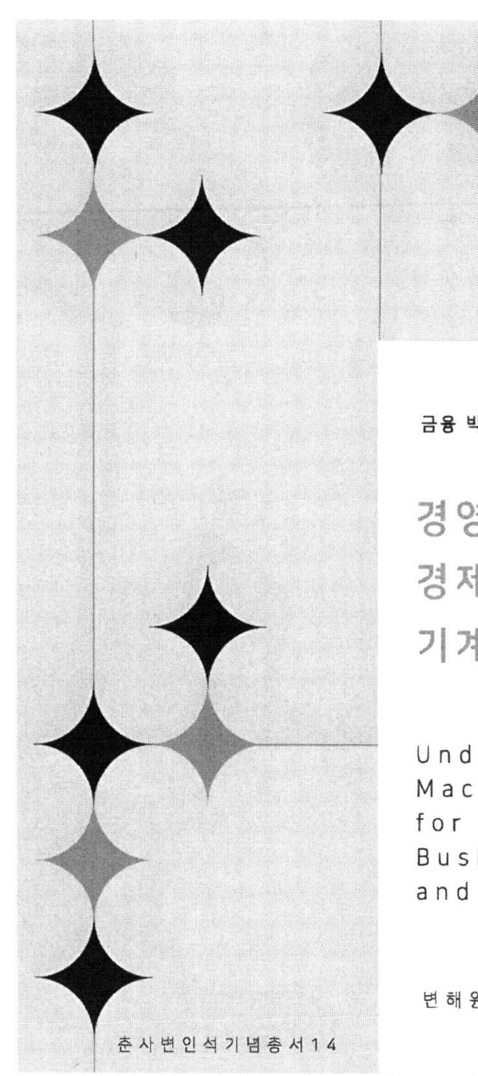

금융 빅데이터 활용하기

경영 및 경제학을 위한 기계학습의 이해

Understanding Machine Learning for Business and Economics

변해원 지음

변해원

아주대학교 의과대학 예방의학교실에서 치매 고위험군 예측을 주제로 이학박사(DrSc)를 취득하였고, 현재 인제대학교 메디컬 빅데이터학과 / BK21 대학원 디지털항노화헬스케어학과 교수 및 인제대학교 부속 보건의료 빅데이터 연구소 센터장으로 재직하고 있다. 2010년부터 2023년까지 International Psychogeriatrics 등 국내외 저명 학술지에 400여 편의 논문을 발표하였고, 파킨슨 치매 중등도 예측장치 등 100여 건의 지식재산(특허)을 발명하였다. 또한, 스위스 뇌과학회 학술대회, 일본 국제융합과학학술대회 등 다수의 국내외 학술상을 수상하였다. SCIE급 저널인 세계정신과학에서 편집위원으로 활동하고 있으며, 2019년부터는 한국연구재단에서 주관하는 일반인 대상 과학강연인 '토요과학강연회의 강연자로 참여하고 있다. 저서로는 「노년기 건강 습관과 치매」 등이 있다.

경영 및 경제학을 위한 기계학습의 이해

지은이 변해원 (인제대학교 교수 / 인제대학교 부속 보건의료 빅데이터 연구소 센터장)

발 행 2024년 07월 02일
펴낸이 한건희
펴낸곳 ㈜ BOOKK
출판사등록 2014.07.15.(제2014-16호)
주 소 서울특별시 금천구 가산디지털1로 119 SK트윈타워 A동 305호
전 화 1670-8316
이메일 info@bookk.co.kr

ISBN 979-11-410-9255-9

값 21,300원

www.bookk.co.kr

경영 및 경제학을 위한 기계학습의 이해

Understanding Machine Learning for Business and Economics

변해원

BOOKK

차례

들어가며

머신러닝이 다양한 금융 서비스와 응용 분야에서 필수적인 역할을 한다는 사실은 이미 널리 알려져 있습니다. 자산 관리, 위험 평가, 대출 승인 등에서부터 사기 행위 식별, 거래 활동 자동화, 소비자 금융 안내 서비스에 이르기까지, 머신러닝의 적용 범위는 매우 넓습니다. 이제 머신러닝은 데이터 사이언스의 하위 분야로, 컴퓨터가 직접 프로그래밍되지 않고도 새로운 것을 학습하고 경험을 통해 스스로를 향상시킬 수 있는 능력을 제공하고 있습니다. 또한, 머신러닝은 통계 모델을 활용해 예측할 수 있는 능력을 바탕으로, 금융 분야에서 머신러닝 알고리즘은 수백만 개의 데이터 세트를 빠르게 분석하여 효율성과 정확성을 극대화하고 있습니다.

21세기를 살아가고 있는 현재, 머신러닝은 금융 업계에서 사기 식별, 위험 관리, 프로세스 자동화, 데이터 분석, 고객 지원, 전산 가격 책정 등에 이미 널리 사용되고 있습니다. 그러나 이는 빙산의 일각에 불과합니다. 향후 GPT로 불리우는 생성형 인공지능이 점점 더 확산되면서, 머신러닝의 적용 가능성은 무궁무진할 것이며, 기술의 발전과 함께 그 범위는 더욱 확장될 것입니다.

저자는 자산 운용 전략을 가르쳐 주셨던 연구자로부터 10년 전에 “한 가지 일에 모든 시간과 에너지를 쏟지 말고 가용한 모든 자원을 활용하라"는 충고를 받은 경험이 있습니다. 이는 금융분야에서 모든 것을 잃을 위험을 최소화하기 위한 전략으로 볼 수 있습니다. 간단히 말해, 금융 분야에서는 한 바구니에 모든 달걀을 담아서는 안 되며 항상 대비책과 다른 수입원을 확보해야 합니다. 이와 같은 전략은 재정적 결정을 내릴 때 위험을 최소화하고 수익을 극대화하기 위한 중요합니다. 과거에는 전략을 기획하거나 의사결정을 내릴 때, CEO와 같은 소수의 전문가의 의견에 의지했지만, 이제는 인공지능을 이용해서 누구나 의사결정의 도움을 받을 수 있습니다. 이 책에서는 이처럼 머신러닝이 어떻게 금융 업계에서 이러한 전략을 실현하는 데 도움을 줄 수 있는지에 대한 기술적인 측면을 설명합니다.

끝으로, 이 책을 읽어주시는 모든 독자들께 깊은 감사의 말씀을 전합니다. 여러분의 관심과 성원이 우리가 이 책을 완성하는 데 큰 힘이 되었습니다. 여러분의 금융 지식과 능력이 이 책을 통해 더욱 향상되기를 기원합니다.

1장. 머신러닝 소개

1.1 소개

1.1.1 머신러닝이란?

효과적으로 컴퓨터적 문제를 해결하기 위해서는 알고리즘이라는 수단이 반드시 활용돼야 합니다. 여기서 알고리즘이란 입력을 결과로 변환하기 위한 명령어의 집합을 의미합니다. 이 개념을 설명하는 한 예로 정렬 알고리즘이 대표적입니다. 이 맥락에서 정렬하고자 하는 일련의 수치값은 입력이 되고, 정렬된 목록이 결과로 나타납니다. 이러한 결과는 알고리즘의 실행을 통해 도출됩니다.

일부 사람들은 더 적은 명령어나 더 적은 메모리를 사용하는 가장 효율적인 알고리즘을 찾기 위해 노력할 수 있습니다. 이러한 알고리즘을 찾는 과정에서는 특정 작업을 수행하는 다양한 알고리즘이 존재함을 알게 될 수도 있습니다. 그러나 스팸 이메일과 정상 이메일을 구분하는 등 특정 작업에 대한 알고리즘이 존재하지 않는 경우도 있습니다. 우리는 이메일 문서에 포함된 간단한 서체 파일인 항목의 특성을 이해하고 있습니다.

우리가 직접 이메일을 살펴보면 해당 메일이 스팸인지 아닌지를 알 수 있습니다. 그러나 왜 그렇게 여겨지는지를 설명하는 것은 간단하지 않을 수 있습니다. 즉, 우리는 정보를 출력으로 변환하는 프로세스에 익숙하지 않습니다. 스팸을 이루는 구성 요소를 정의하는 것은 시간이 지남에 따라 변하고 각 개인마다 다를 수 있습니다. 우리는 통계를 통해 이러한 점을 보완할 수 있습니다. 우리는 수천 개의 예시 메시지를 신속히 수집하고 이 중 일부는 스팸임을 알고 있기 때문에 이를 바탕으로 스팸의 구성 방식에 대해 더 자세히 '학습'하고자 합니다. 그렇게 함으로써 우리는 컴퓨터가 스팸을 자동으로 식별할 수 있도록 만들고자 합니다.

숫자를 정렬하는 알고리즘은 이미 존재하기 때문에 여러분은 숫자를 정렬하는 방법을 배우지 않아도 됩니다. 그러나 알고리즘이 필요 없는 예제 데이터가 있는 응용 프로그램이 많습니다. 컴퓨터 기술의 발전으로 우리는 이제 대량의 데이터를 저장하고 분석할 수 있을 뿐만 아니라, 컴퓨터 네트워크를 통해 지리적으로 떨어진 곳에서도 데이터를 검색할 수 있습니다. 대다수의 데이터 수집 장치는 전산화되어 있어 정확한 데이터를 획득합니다. 예를 들어 전국에 수백 개의 매장을 운영하면서 수백만 명의 소비자에게 수천 가지의 다양한 제품을 판매한다고 상상해 보겠습니다.

날짜, 고객 ID, 구매한 제품 및 금액, 전체 지출 금액 등 각 거래의 세부 정보는 모두 판매 지점 처리기에 의해 기록됩니다. 일반적으로 이러한 데이터의 양은 하루 동안 테라바이트에 육박합니다. 식료품점 회사는 특정 제품 구매에 관심이 있는 고객을 예측하고자 합니다. 그러나 이 메커니즘은 완전히 이해되지 않았으며 시간이 지나면서 변화하고 관찰자가 어느 지역에 있는지에 따라 달라집니다. 이러한 데이터가 분석되어 사용 가능한 정보로 전환될 때 비로소 저장된 데이터가 가치 있게 됩니다.

특정 맛의 아이스크림을 누가 사거나 특정 작가의 다음 책을 누가 구매할지 예측할 수 없습니다. 누가 이 새로운 영화를 볼지, 누가 이 특정 장소로 여행할지, 누가 이 링크를 클릭할지에 대한 정보가 있다면 데이터 분석을 수행할 필요가 없습니다. 직접 코드를 작성하여 활용하고 싶을 것입니다. 그러나 정보가 없기 때문에 우리가 할 수 있는 일은 데이터를 축적하고 그 안에 답을 찾기를 간절히 바라는 것뿐입니다. 우리는 우리의 인식이 프로세스로 기술될 수 있을지에 대한 강한 의구심을 가지고 있습니다. 우리는 고객 행동과 관련된 데이터가 우연이 아님을 알고 있습니다. 예를 들어, 사람들이 슈퍼마켓에서 쇼핑을 할 때 맥주를 사면 스낵도 함께 사고, 여름에는 아이스크림을 많이 사고, 겨울에는 와인에 넣을 향신료를 많이 사는 등의 패턴을 알 수 있습니다. 이렇듯 우리는 수집한 데이터에서 몇 가지 패턴을 발견할 수 있습니다.

본 책은 데이터 분석 과정에 대한 종합적인 설명을 제공하지 못할 수 있으나, 유용하고 효과적인 전략을 개발할 수 있을 것으로 확신합니다. 이러한 전략이 모든 측면을 해결하지는 않더라도 프로세스의 일부를 이해할 수 있을 것으로 기대합니다. 이것이 기계 학습의 전문 분야입니다. 이러한 종류의 모델은 프로세스를 이해하거나 예측의 기초로 사용할 수 있습니다: 몇 가지 샘플 데이터를 축적하면 내년에도 사람들이 아이스크림을 많이 먹을 것이라고 가정할 수 있을 것입니다.

데이터 마이닝은 방대한 양의 데이터에 머신러닝 기술을 적용하는 과정을 의미합니다. 광산에서 대량의 물질을 추출하여 소량의 가치 있는 물질을 생산하는 것처럼, 데이터 마이닝은 방대한 데이터 집합을 처리하여 가치 있는 통찰을 얻는 작업입니다. 신용 신청, 사기 탐지, 주식 시장을 위한 모델 생성 등 다양한 분야에서 이를 활용합니다. 이는 금융 기관 뿐만 아니라 개별 은행에서도 활용되고 있습니다.

학습 모델은 최적화, 관리 및 문제 해결을 위해 프로덕션에서 사용됩니다. 의료 분야에서는 진단 프로세스에 학습 프로그램을 활용합니다. 음성 패턴은 통신 분야에서 네트워크의 효율성 및 표준을 개선하기 위해 분석됩니다. 과학 분야에서는 컴퓨터가 대량의 데이터를 신속하게 분석할 수 있습니다. 물리학, 천체학 및 생물학 분야에서 충분한 양의 데이터를 분석할 수 있습니다. 월드 와이드 웹은 계속해서 새로운 정보가 추가되는 방대한 자원이기 때문에 관련 정보를 직접 찾는 것은 불가능합니다.

그러나 머신러닝은 컴퓨터와 관련된 문제뿐만 아니라 인공 지능과도 관련이 있습니다. 동적 환경에서는 시스템이 정교하다고 간주되려면 변화에 적응하고 학습할 수 있어야 합니다. 시스템이 이러한 종류의 변화를 학습하고 적응할 수 있다면 시스템 개발자가 모든 잠재적 시나리오를 예상하고 해당 문제에 대한 해결책을 찾으려고 노력할 필요가 없습니다. 또한 머신러닝은 자동화, 인식 및 음성 인식과 관련된 많은 문제에 대한 해답을 찾는 데 도움을 줍니다. 예를 들어 사람들이 슈퍼마켓에서 쇼핑을 할 때 맥주를 사면 스낵도 함께 사고, 여름에는 아이스크림을 많이 사고, 겨울에는 와인에 넣을 향신료를 많이 사는 등의 패턴을 생각해 보세요. 이러한 차이에도 불구하고 우리는 사진이나 특징만 보고도 가족이나 지인을 식별할 수 있습니다.

그러나 이렇게 하는 사실조차 자각하지 못하며, 어떻게 이러한 분석을 수행하는지 모릅니다. 우리는 일어나는 일마다 우리의 경험을 컴퓨터 프로그램으로 옮길 수 없습니다. 그러나 우리는 얼굴의 픽셀 표현이 무작위로 축적된 것이 아니라 구조가 있다는 것을 알고 있습니다. 눈, 코, 입이 모두 얼굴에서 동일한 위치에 있으며 이러한 요소의 결합으로 각 개인의 얼굴에 고유한 패턴이 형성됩니다. 훈련된 프로그램은 얼굴 사진을 분석하여 이러한 독특한 특징을 포착할 수 있습니다. 그런 다음 프로그램은 특정 이미지의 패턴을 분석하여 그 독특한 모양을 인식할 수 있습니다. 이것은 패턴 인식 개념을 설명하는 예시입니다.

머신러닝 분야의 기반이 되는 예시 데이터 또는 이전 경험을 사용하여 컴퓨터를 학습시키고 성능 매개변수를 최적화할 수 있습니다. 학습은 컴퓨터 프로그램을 실행하여 학습 데이터나 이전 경험을 기반으로 모델의 매개변수를 최적화하는 과정입니다. 이러한 모델은 데이터를 더 잘 이해하기 위해 설명적일 수도 있고, 미래에 대한 예측을 위해 예측적일 수도 있습니다. 또는 두 가지 모두일 수도 있습니다.

머신러닝의 주요 임무는 표본에서 결론을 도출하는 것이므로, 통계 이론은 머신러닝에서 정량적 모델을 구축하는 데 사용됩니다. 컴퓨터 과학 분야에서는 최적화 문제를 다루고 방대한 양의 데이터를 효율적으로 저장하고 처리하는 데 효과적인 알고리즘이 필요합니다. 또한 모델을 학습한 후에는 해당 모델에 대한 계산적 표현과 추론 솔루션이 가능한 한 효과적이어야 합니다.

학습 또는 추론 알고리즘의 효율성, 특히 공간적 및 시간적 복잡성 수준이 특정 애플리케이션에서 투영의 정밀도만큼이나 중요할 수 있습니다. 이제 머신러닝의 다양한 종류와 응용 분야에 대한 이해를 높이기 위해 몇 가지 구현 예시를 좀 더 자세히 살펴보겠습니다.

1.2.1 학습 파트너십

'장바구니 분석'(Basket Analysis)은 슈퍼마켓 체인과 같은 소매업에서 활용되는 머신러닝 애플리케이션을 지칭합니다. 소비자들이 구매하는 제품 간의 상관관계를 파악하는 것은 이러한 비즈니스에 있어 매우 중요한 과제입니다. 예를 들어, X 제품을 자주 구매하는 사람들이 Y 제품도 자주 구매한다면, X는 구매했지만 Y는 구매하지 않은 고객들은 Y 제품의 잠재적 구매자가 될 수 있습니다. 이는 그들이 이미 X 제품과의 관계를 맺고 있기 때문입니다. 이 경우, 해당 고객에게 Y 제품을 교차 판매(cross-sell)할 기회가 생깁니다. 이는 '연관 규칙 마이닝'(Association Rule Mining)의 원리에 기반합니다. 연관 규칙을 정의할 때 우리가 알고자 하는 주요 정보 중 하나는 조건부 확률 P(Y|X)입니다. 여기서 Y는 X 제품과 연관된 다른 제품이며, 고객이 이미 X 제품을 구매했는지 여부를 알고 싶어합니다.

예를 들어, 음료를 구매한 고객이 감자튀김을 함께 구매할 확률이 75%라고 결론지을 수 있습니다. 이를 바탕으로 다음과 같은 규칙을 설정할 수 있습니다.

"고객의 70%가 맥주를 구매할 때 감자튀김을 함께 구매한다."

이 과정을 용이하게 하기 위해, 성별, 나이, 결혼 여부 등을 포함한 다양한 고객 특성을 고려한 매개변수 P(Y|X,D)를 추정할 수 있습니다. 이는 미래에 다양한 유형의 고객을 구분하는 데 도움이 될 수 있습니다. 예를 들어, 서점에서는 제품이 작가나 책일 수 있으며, 웹 포털의 경우에는 참조하는 다양한 웹사이트에 대한 링크가 될 수 있습니다. 사용자가 어떤 링크를 클릭할지 예측하여 적절한 웹 페이지를 미리 다운로드함으로써 사용자 경험을 개선할 수 있습니다.

1.2.2 분류

대출은 은행과 같은 금융 기관에서 제공하는 금액으로, 일반적으로 이자와 함께 분할 상환해야 합니다. 금융 기관에게는 대출과 관련된 위험 수준을 정확히 예측하는 것이 중요합니다. 이 위험은 대출자가 재정적 의무를 이행하지 못해 대출금을 전액 상환하지 못하는 상황을 의미합니다. 이는 은행의 수익 보장과 고객이 감당할 수 있는 것보다 더 큰 부담을 지지 않도록 하기 위함입니다. 은행은 대출 제공과 관련된 위험을 평가할 때 대출 금액뿐만 아니라 고객에 대한 정보를 기반으로 합니다. 고객의 소득, 저축, 담보, 고용 상태, 연령 및 재정적 배경 등의 정보는 고객의 재정적 의무 이행 능력을 평가하는 데 매우 중요합니다. 이 정보는 고객 기록에 포함되어 있으며, 은행은 이를 바탕으로 고객의 대출 상환 가능성을 추적합니다. 머신러닝 시스템은 과거 데이터를 분석하여 고객 특성과 위험 사이의 관계를 규칙화하고, 이를 통해 새로운 대출 신청에 대한 위험을 평가하여 신청의 수락 여부를 결정합니다.

이는 저위험 고객과 고위험 고객을 구분하는 분류 문제입니다. 고객 정보는 분류기의 입력으로 사용되며, 분류기는 이 정보를 바탕으로 고객이 어느 범주에 속하는지 결정합니다. 학습된 분류 규칙은 과거 데이터를 기반으로 하며, 다양한 규칙 중 하나를 학습할 수 있습니다.

예를 들어, 소득이 특정 기준보다 높고 저축이 또 다른 기준보다 많은 경우 저위험으로 분류할 수 있으며, 그렇지 않으면 고위험으로 분류합니다. 이러한 규칙을 채택할 때 가장 중요한 것은 예측력입니다. 과거 데이터에 기반한 규칙이 미래에도 유효하다면, 새로운 신청에 대해 정확한 예측을 할 수 있습니다. 따라서, 소득과 저축 수준을 고려하여 신규 대출 신청자의 위험 수준을 쉽게 평가할 수 있습니다.

저위험과 고위험의 이진 분류 대신, P(Y|X) 방정식을 사용하여 위험도의 확률을 계산하는 것이 더 합리적일 수 있습니다. 여기서 X는 소비자의 특성을, Y는 위험도(저위험 또는 고위험)를 나타냅니다. 이 확률은 이진 등급 대신 사용될 수 있습니다.

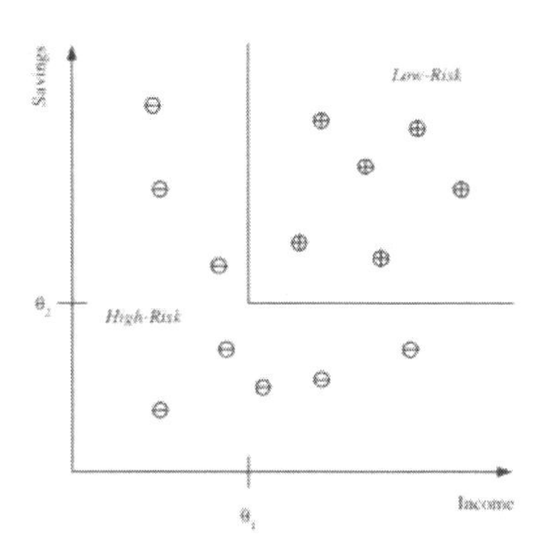

그림 1.1 데이터셋 학습의 예시

이 그림에서 각 원은 데이터 샘플을 나타내며, 해당 샘플에 해당하는 벡터는 그 샘플의 입력값들을 구성합니다. 각 샘플은 원형 기호로 식별됩니다. 설명을 단순화하기 위해, 여기서는 '수익'과 '저축'이라는 두 가지 소비자 특성만을 입력 데이터로 사용하며, 이를 통해 생성된 분류는 '고위험'(마이너스 기호로 표시)과 '저위험'(플러스 기호로 표시)으로 나뉩니다. 또한, 이 두 유형의 인스턴스를 구분하는 데 사용할 수 있는 판별 기준이 아래에 제시됩니다.

높은 위험도를 가진 경우, 분류는 X와 Y 사이의 관계를 설정하

는 과정으로 볼 수 있습니다. 예를 들어, $P(Y = 1|X = x) = 0.8$이라면, 주어진 $X = x$ 값에 대해 고객의 위험도가 80%임을 의미합니다. 이는 고객이 저위험일 확률이 20%임을 나타내며, 반대로 고위험일 확률이 80%임을 의미합니다. 이 정보를 바탕으로 대출의 수락 여부를 결정하기 전에 가능한 장단점을 검토할 수 있습니다.

머신러닝은 패턴 인식 분야에서 다양한 유용한 응용을 찾을 수 있습니다. 광학 문자 인식(OCR)은 이용 가능한 기술 중 하나로, 문자 이미지를 참조하여 문자 코드를 해독하는 과정입니다. 문자의 필체를 인식하는 것은 특히 도전적인 과제로, 글꼴은 크기나 형태가 다양하며, 다양한 도구(펜, 연필 등)로 작성될 수 있습니다.

인간은 글을 쓸 수 있는 능력을 개발했지만, 아직 인간만큼 글을 읽을 수 있는 기계는 없습니다. 우리는 'A'에 대한 명확한 정의를 가지고 있지 않으며, 모든 'A'를 포함하면서 'A'가 아닌 것은 배제하는 정의를 찾는 것은 어렵습니다. 이는 'A'를 구성하는 특징을 예시를 통해 추출하려는 시도입니다.

문서를 읽을 때, 인간 언어의 중복성을 활용할 수 있습니다. 단어는 문자의 시퀀스로 구성되며, 이는 언어의 구성 요소에 따라 달라집니다. 이러한 구문 및 의미 패턴은 언어가 구축되는 방식 때문에 가능합니다. 머신러닝 분야에는 이러한 시퀀스와 관계를 학습하고 모델링할 수 있는 알고리즘이 있습니다.

얼굴 인식에서 '입력'은 이미지이고, '클래스'는 식별해야 하는 개인의 얼굴입니다. 이 문제는 OCR보다 더 복잡하며, 위치와 조명의 차이로 인해 이미지가 왜곡될 수 있습니다. 예를 들어, 안경이 눈과 눈썹을 가리거나 수염이 턱을 가릴 수 있습니다.

의학적 진단에서는 환자에 대한 기본 정보를 '루머'로, 질병을 '클래스'로 간주합니다. 환자의 나이, 성별, 병력, 현재 증상 등은 진단 과정에 중요한 정보입니다. 잘못된 진단으로 인해 환자가 잘못된 치료를 받거나 치료를 받지 못할 수 있으므로, 분류자는 가설을 검토하고 결정을 인간 전문가에게 맡기는 것이 가장 좋습니다.

음성 인식은 신호음을 입력으로 사용하며, 다양한 단어가 클래스로 사용됩니다. 이 과정은 사람마다 단어의 발음이 다를 수 있기 때문에 복잡합니다. 음성의 시간적 특성은 음성 인식을 독특하게 만듭니다.

음성 인식과 마찬가지로, 언어 모델을 통합하는 것이 중요하며, 이는 풍부한 데이터 샘플에서 언어 모델을 개발하는 것으로 달성될 수 있습니다. 자연어 처리에 머신러닝을 적용하는 사례는 점점 더 많아지고 있으며, 스팸 필터링 영역에서는 스팸 생성자와 스팸 필터 관리자가 새로운 솔루션을 찾기 위해 경쟁하고 있습니다.

컴퓨터 번역은 수작업으로 코딩된 번역 규칙에 대한 연구 끝에, 번역된 텍스트의 예시 쌍을 많이 제공하고 이를 통해 번역 규칙을 자동으로 식별할 수 있는 기술이 가장 유망한 방법으로 부상했습니다.

'생체 인식'은 개인의 신원을 식별하거나 확인할 수 있는 방법으로, 손바닥, 홍채, 지문, 얼굴 이미지 등의 생리적 특성 또는 시그니처 다이내믹스, 소리, 피치 등의 행동 특성을 기반으로 합니다. 이 시스템은 다양한 인식기를 사용하고 이들의 결정을 결합하여 최종 결정을 내립니다.

데이터에서 규칙을 학습하는 과정은 정보 추출에 활용할 수 있는 또 다른 방법입니다. 이를 위해서는 데이터에 대한 설명을 제공하는 간단한 구조(스키마)를 도출해야 합니다. 이 그림을 통해 데이터 수집 절차를 이해할 수 있습니다. 예를 들어, 저위험과 고위험 소비자를 구분하는 특성을 학습함으로써, 결제 불이행 가능성이 낮은 고객의 특성에 대한 인사이트를 얻을 수 있습니다. 이는 고위험군 소비자를 이미 구분할 수 있기 때문입니다. 결과적으로, 우리는 이 정보를 활용하여 위험도가 낮은 잠재 고객을 대상으로 한 마케팅 활동을 더 효과적으로 전개할 수 있습니다.
압축은 학습 과정의 또 다른 측면으로, 데이터에서 패턴을 도출함으로써 데이터 자체보다 이해하기 쉬운 설명을 제공합니다. 이 설명은 저장 공간과 처리 능력을 덜 요구합니다. 실제로 학습 과정은 정보 집합에 패턴을 적용하는 과정으로, 예를 들어 덧셈의 규칙을 익히면 모든 숫자 조합의 합을 스스로 계산할 수 있게 되어 외울 필요가 없어집니다.

머신러닝의 또 다른 응용 분야는 이상치 식별입니다. 이 과정의 한 단계는 규칙을 따르지 않는 인스턴스, 즉 주의가 필요한 이상 징후(예: 사기)를 식별하는 것입니다. 규칙을 알고 나면, 규칙에 해당하지 않는 예외를 처리하는 데 집중할 수 있습니다.

1.2.3 회귀

중고차 가격을 추정하는 방법에 관심이 있다고 가정해 봅시다. 차량의 제조사, 모델 연도, 엔진 용량, 주행 거리 등의 특성이 입력으로 제공됩니다. 최종 산출물은 차량의 가격입니다. 이와 같이 숫자를 예측하는 문제를 회귀라고 합니다.

자동차의 특성을 나타내는 X와 차량의 가격을 나타내는 Y를 가정해 보겠습니다. 이전 거래를 분석하여 패턴을 학습할 수 있습니다. 그런 다음, 머신러닝 알고리즘은 이 학습 데이터에 함수를 적용하여 X의 함수로서 Y를 예측합니다. 이 과정은 그림 1.2에서 예시로 보여집니다. 이 이미지에서 적합 함수는 그래프로 나타납니다.

$$y = wx + w_0$$

적절한 w및 w_0의 수를 입력합니다. 지도 학습에는 회귀와 분류가 포함됩니다. 두 경우 모두 입력 변수 X와 결과 변수 Y 사이의 관계를 이해하는 것이 목표입니다. 머신러닝에서는 특정 모델이 주어진 매개변수 집합에 대해 존재한다고 가정합니다.

$$y = g(x|\theta)$$

여기서 g(•) 패턴으로 표시되고 매개변수로 표시됩니다.

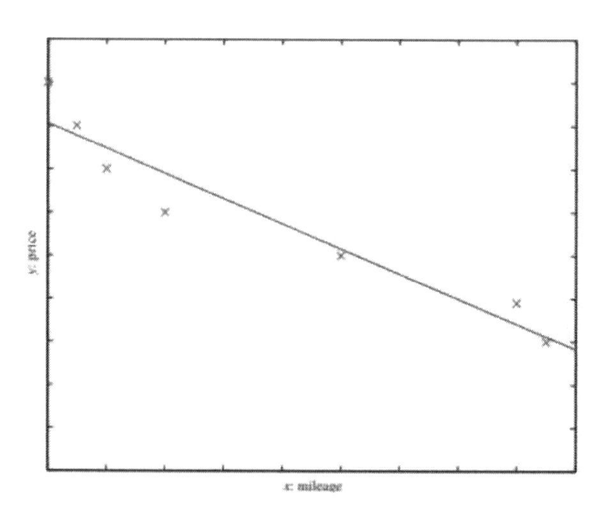

그림 1.1 중고차와 그에 할당된 기능에 대한 학습 데이터셋

회귀에서 Y는 숫자이며, 분류에서 Y는 클래스 코드입니다(예: 0/1). 분류에서는 회귀 함수 또는 판별 함수가 인스턴스가 어떤 클래스에 속하는지 결정합니다. 머신러닝 소프트웨어는 매개변수를 최적화하여 추정 오차를 최소화합니다.

간단한 예로, 선형 모델을 사용하며 주행 거리만을 입력 특성으로 고려합니다. 선형 모델이 적합하지 않은 경우, 이차 모델이나 더 높은 차수의 다항식, 또는 다른 비선형 함수를 사용할 수 있습니다.

$$y = w_2x^2 + w_1x + w_0$$

회귀의 다른 예로는 자율 주행 차량의 내비게이션이 있습니다. 여기서 출력은 장애물을 피하고 경로를 유지하기 위해 매 순간 조향해야 하는 각도입니다. 입력은 차량에 통합된 센서에서 제공됩니다.

함수의 값을 최적화하는 데 회귀 분석을 보완적으로 적용할 수 있습니다. 예를 들어, 커피 로스팅 머신 개발을 목표로 한다면, 최종 제품의 품질은 여러 요인에 의해 결정됩니다. 다양한 테스트를 실행하고, 커피 품질과 관련된 변수를 연관시키는 회귀 모델을 보정한 후, 최적의 구성을 찾기 위해 모델을 조정합니다. 이 과정은 '반응 표면 디자인'이라고도 합니다.

1.2.4. 지도 없는 학습

인구 밀도 추정은 클러스터링이라는 방법을 통해 수행될 수 있습니다. 이 분석 유형의 목적은 클러스터나 데이터 집합을 찾는 것입니다. 비즈니스가 고객의 과거 기록을 보유하고 있다면, 이 기록에는 고객과 비즈니스 간의 과거 상호작용뿐만 아니라 고객 인구 통계 정보도 포함될 것입니다. 이러한 정보를 바탕으로, 기업은 고객 프로필 분포를 분석하여 가장 자주 방문하는 소비자 유형을 파악할 수 있습니다. 클러스터링 모델은 유사한 특성을 가진 소비자들을 동일한 그룹으로 분류함으로써 이를 가능하게 합니다.

고객 세분화는 자연스럽게 형성되는 고객 그룹을 식별하는 과정으로 볼 수 있습니다. 고객 관계 관리는 특정 고객 하위 집합에 대해 맞춤형 상품 및 서비스를 제공할 수 있도록 하는 비즈니스 전략입니다. 이러한 하위 그룹이 정의되면, 조직은 이 전략을 실행할 수 있습니다. 이 분류 과정은 또한 비정상적인 고객, 즉 특별히 주목해야 할 고객을 식별하는 데 도움이 됩니다. 이는 회사가 탐색하고 활용할 수 있는 잠재적인 틈새 시장을 나타낼 수 있습니다.

생물정보학 분야에서도 기계 학습 기법이 활용됩니다. DNA는 '

생명의 매트릭스'로 불리며, A, G, C, T의 염기로 구성된 사슬입니다. 유전 정보를 단백질로 변환하는 과정은 DNA에서 RNA로의 전사로 시작됩니다. 단백질은 모든 생명체의 기본 구성 요소로, 모든 생명 활동을 담당합니다. DNA가 염기 사슬로 구성되어 있는 것처럼, 단백질은 아미노산 사슬로 구성됩니다.

분자 생물학에서 컴퓨터 과학의 적용 가능한 분야 중 하나는 정렬 프로세스입니다. 정렬은 문자열과 시퀀스 간의 일치를 의미합니다. 시퀀스가 길고 비교해야 할 패턴 시퀀스가 많으며, 삭제, 추가, 변경이 발생할 수 있기 때문에, 시퀀스 매칭은 복잡한 문제입니다.

단백질에서 발견되는 아미노산 시퀀스인 모티프를 학습하기 위해서는 클러스터링을 조직 기법으로 사용하는 것이 필수적입니다. 모티프는 특정 구조적 또는 기능적 특징을 설명할 수 있으며, 다양한 생물학적 시스템에서 발견될 수 있습니다. 아미노산을 문자로, 단백질을 문장으로 비교한다면, 모델을 개별 단어와 비교할 수 있습니다. 패턴은 특정 의미와 연관되어 있으며, 다양한 텍스트에서 흔히 볼 수 있는 문자 집합입니다.

1.2.5. 긍정적 해석과 부정적 해석을 통한 통찰

특정 조건에서 시스템 출력은 수행해야 할 작업 목록입니다. 이러한 경우, 단일 작업은 중요하지 않습니다. 가장 중요한 것은 정책, 즉 목표를 달성하기 위해 취해야 하는 일련의 조치입니다. 중간 단계에서 '최선'의 행동은 없습니다. 행동은 좋은 정책의 일부인 경우에만 가치가 있습니다. 머신러닝 소프트웨어가 전략을 생성하려면, 사전에 정의된 전략의 효과를 분석하고, 이전에 성공적인 사례를 바탕으로 학습할 수 있어야 합니다. 이러한 접근 방식은 강화 학습 알고리즘에 속합니다. 게임 프로세스는 이러한 학습 방식의 좋은 예로, 게임에서는 일련의 정확한 동작이 중요합니다.

게임에 접근하기 위한 탄탄한 전략이 있다면, 그 전략은 일반적으로 높은 수준으로 간주됩니다. 인공지능과 머신러닝 연구자들은 게임 연구에 많은 시간과 관심을 기울입니다. 게임은 이해하기 쉽지만, 플레이하고 성취하기는 어려울 수 있기 때문입니다. 예를 들어, 체스는 규칙이 거의 없지만, 가능한 움직임이 매우 다양하고, 게임은 이러한 수많은 움직임으로 구성되어 있어 어렵습니다. 강력한 학습 알고리즘이 개발되면, 이를 활용하여 금전적 이익을 창출할 수 있는 게임에 적용할 수 있을 것입니다.

강화 학습(Reinforcement Learning)은 다양한 잠재적 응용 분야를 가지고 있으며, 그 중 하나는 로봇 공학(Robotics) 분야입니다. 특히 로봇이 환경을 탐색하여 특정 유형의 대상을 찾는 응용 분야에서 사용됩니다. 로봇은 다양한 방향으로 동시에 움직일 수 있는 능력을 가지고 있어, 매우 유연합니다. 훈련 세션 후에는 장애물을 피하면서 가능한 한 빠르게 현재 상태에서 원하는 상태로 이동하기 위한 정확한 동작 순서를 결정해야 합니다. 이 과정은 여러 번의 반복을 통해 이루어집니다. 시스템이 제한된 감각 정보에만 접근할 수 있는 경우, 강화 학습은 더욱 어려워질 수 있습니다.

예를 들어, 비디오 카메라와 같이 필요한 정보의 일부만을 가진 로봇은 부분적으로만 환경을 인식하는 상태에 놓이게 됩니다. 따라서 로봇은 상황의 불확실성을 고려하여 결정을 내려야 합니다. 여러 에이전트가 동시에 작업을 수행해야 하는 경우도 있으며,

이들은 동일한 목표를 달성하기 위해 상호 작용하고 협력해야 합니다. 로봇 축구 팀이 이를 잘 설명하는 예입니다.

1.3. 참고 사항

진화(Evolution)는 우리 몸의 구조와 본능 및 반사 작용을 담당하는 주요 원동력입니다. 인간은 진화론이 예측하는 것보다 환경 변화에 더 쉽게 적응할 수 있으며, 이는 생존을 용이하게 합니다. 진화는 인간에게 큰 두뇌와 학습 능력을 부여하여 다양한 상황에 적응할 수 있도록 했습니다.

특정 상황에 대한 최선의 행동 방침을 알게 되면, 그 지식은 뇌에 저장됩니다. 이후 같은 상황이 발생하면 적절한 행동을 기억하고 대응할 수 있습니다. 그러나 학습에는 한계가 있으며, 우리는 결코 세 번째 팔이나 머리 뒤쪽의 코를 "학습"할 수 없습니다. 심리학, 인지 과학, 신경 과학과 달리, 기계 학습의 목표는 인간과 동물의 학습 메커니즘을 이해하는 것이 아니라, 사용 가능한 시스템을 만드는 것입니다.

과학계에서는 모델과 데이터를 매칭하는 것이 주요 작업입니다. 귀납법(Induction)은 정의된 일련의 예시에서 일반 규칙을 도출하는 방법입니다. 현대에는 방대한 양의 데이터와 이를 분석할 수 있는 사람의 부족으로 인해, 독립적으로 사물을 평가하고 정보를 도출할 수 있는 컴퓨터 모델에 대한 관심이 증가하고 있습니다.

이는 과학 분야의 발전에 영향을 미쳤으며, 동일한 알고리즘이 여러 영역에서 독립적으로 개발되기도 했습니다. 추정(Estimation)은 학습 과정을, 추론(Inference)은 관찰에서 일반적인 설명으로 나아가는 과정을 의미합니다. 판별 분석(Discriminant Analysis)은 분류 과정을 가리키며, 패턴 인식(Pattern Recognition)은 공학에서 사용되는 접근 방식으로, 비모수적이고 경험적입니다.

인공 지능(AI)과 기계 학습(ML) 사이에는 밀접한 관계가 있으며, 이는 지능형 시스템이 환경 변화에 적응할 수 있는 능력을 갖추어야 하기 때문입니다. 로봇 공학, 이미지 및 언어 처리와 같은 응용 분야에서는 샘플 데이터를 사용하는 것이 학습하는 가장 효과적인 방법입니다. 전기 공학은 신호 처리 연구를 담당했으며, 이를 통해 유연한 컴퓨터 비전 및 음성 시스템을 개발할 수 있었습니다. 음성 인식을 위한 숨겨진 마르코프 모델(Hidden Markov Model, HMM)의 개발은 이 분야에서 특히 중요한 단계였습니다.

최근 서포트 벡터 머신(Support Vector Machine, SVM)을 포함한 커널 기반 알고리즘(Kernel-based Algorithms)은 효율성과 다용도성으로 인해 인기를 얻고 있습니다. 특히 생물정보학(Bioinformatics) 및 자연어 처리(Natural Language Processing, NLP) 분야에서 커널 함수(Kernel Functions)를 사용하여 다양한 애플리케이션에 맞게 조정할 수 있는 이러한 알고리즘은 큰 이점을 제공합니다. 정확한 데이터 표현이 중요하며, 커널 함수는 경험을 효과적으로 추가하는 방법으로 입증되었습니다.

최근 몇 년 동안 스토리지와 대역폭의 가격 하락으로 인해 엄청나게 큰 데이터 세트를 인터넷에 노출시킬 수 있게 되었습니다. 이로 인해 대량의 데이터에 대해 학습 알고리즘을 실행할 수 있는 컴퓨팅 접근성이 향상되었습니다. 과거에는 새로운 패러다임, 사고방식, 계산 모델 또는 새로운 알고리즘 세트가 필요하다고 여겨졌으나, 최근 다양한 분야에서 머신러닝의 성공을 고려할 때 대규모 처리 용량으로도 충분히 달성할 수 있다는 것이 입증되었습니다.

대량의 데이터에 머신러닝 기술을 적용하는 관행은 비즈니스 세계에서 "데이터 마이닝(Data Mining)"이라고 합니다. 이 기술은 컴퓨터 과학 분야에서 "데이터베이스에서의 지식 발견(Knowledge Discovery in Databases, KDD)"으로도 알려져 있습니다. 역사적으로 통계, 패턴 인식, 신경망, 신호 처리, 인공지능, 데이터 마이닝 등 다양한 분야의 연구는 각기 다른 역사적 경로를 따라왔으며, 발견의 각기 다른 측면에 집중해 왔습니다.

1.4. 관련 요소

머신러닝 연구의 최신 발견은 다양한 주제의 컨퍼런스에서 서면 기사 및 구두 발표를 통해 과학 커뮤니티의 주목을 받습니다.

신경 계산(Neural Computation), 신경망에 관한 IEEE 트랜잭션(IEEE Transactions on Neural Networks), 신경 정보 처리 시스템 컨퍼런스(NIPS), 국제 머신러닝 컨퍼런스(ICML) 등은 머신러닝에 관한 가장 중요한 컨퍼런스와 저널 중 일부입니다. 이러한 컨퍼런스와 저널은 머신러닝 분야의 최신 연구 결과와 발전을 공유하는 중요한 플랫폼입니다.

이 가이드는 문제에 접근하는 다양한 방법을 하나의 연구로 모아, 현재 경험하고 있는 어려움과 이러한 문제를 해결하기 위해 제안된 잠재적 해결책에 대한 논리적이고 포괄적인 개요를 제공하는 것을 목적으로 합니다.

또한, 계산 생물학, 얼굴 인식, 음성 인식 등과 같이 특정 애플리케이션에 맞춰 설계된 다양한 데이터 풀도 존재합니다. 이러한 분야의 주제들은 커널 함수를 활용하여 다양한 애플리케이션에 적용 가능한 알고리즘을 사용함으로써 큰 이점을 얻을 수 있습니다. UCI 리포지토리는 포괄적이며 지속적으로 확장되는 광범위한 데이터 세트를 제공합니다. 그러나 일부 연구자들은 이러한 아카이브가 실제 데이터의 모든 측면을 반영하지 못하며 범위가 제한적이라고 지적합니다. 같은 데이터 세트를 반복해서 사용함으로써 특정 데이터 세트에 과도하게 적합한 새로운 "UCI 알고리즘" 세트가 개발될 수 있다는 주장이 제기됩니다.

실제로, 동일한 리포지토리에서 동일한 데이터 집합을 반복 사용하는 것은 새로운 알고리즘을 생성하는 과정을 의미합니다. 각 작업에 대해 특정 애플리케이션을 염두에 두고 해당 애플리케이션에 적합한 하나 이상의 핵심 데이터 세트를 개발하는 것이 중요합니다. 이러한 데이터 세트를 평가하는 방법은 추후 장에서 논의될 것입니다. 대부분의 개발자는 알고리즘의 소스 코드를 인터넷에 공개적으로 제공합니다. Weka 패키지와 같은 다양한 무료 소프트웨어 패키지를 통해 여러 머신러닝 알고리즘을 구현할 수 있습니다.

1.5. 다른 사례로부터의 교훈

예를 들어, '패밀리카'로 알려진 C-Class의 이름이 궁금하다고 가정해 봅시다. 여러 대의 자동차를 예시로 사용하고, 여러 사람들과 함께 이 다양한 자동차를 조사합니다. 사람들은 자동차를 보고 이름을 붙이며, 이 자동차들은 우수한 모델로 제시됩니다. 자녀가 있는 가정에 적합하다고 여겨지는 자동차는 모범적인 모델로 제시되며, 다른 자동차는 바람직하지 않은 예로 간주됩니다. 교훈은 모든 성공적인 사례에는 공통적인 특성이 있으나, 실패한 사례에는 적용되지 않는다는 것입니다. 결과적으로, 우리는 한 번도 본 적 없는 차량을 우리가 배운 설명과 비교하고, 이 정보를 사용하여 가족용 차량인지 아닌지를 판단할 수 있습니다.

업계 전문가들과의 대화를 통해, 자동차가 가질 수 있는 모든 기능 중에서 패밀리카를 다른 자동차와 차별화하는 주요 요소는 가격과 엔진 성능이라는 결론에 도달했다고 가정해 봅시다. 이러한 결론에 이르게 된 후, 클래스 인식은 이 두 가지 속성을 주요 입력으로 사용하여 결정을 내립니다. 이 선택은 본질적으로 다른 많은 기능의 사용을 배제합니다.

각 개별 차량의 판매 가격과 엔진 마력은 데이터 포인트의 좌표로 반영되며, 각 좌표는 모집단에서 차량의 고유한 예를 나타냅니다. "+" 기호는 패밀리카로 간주되는 긍정적인 예시를, "-" 기호는 패밀리카가 아닌 다른 종류의 차량을 나타내는 부정적인 예시를 나타냅니다.

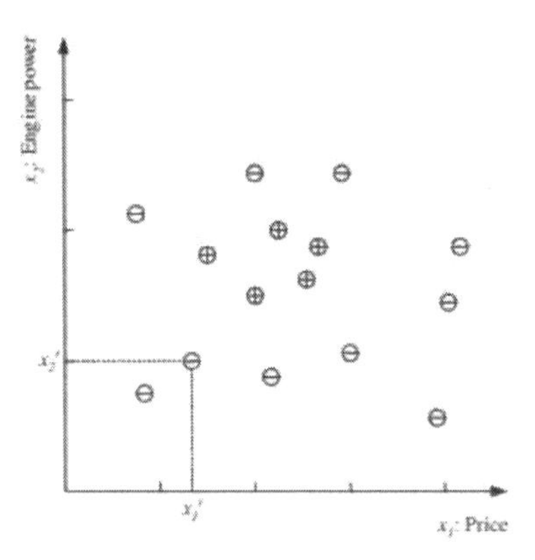

그림 1.1 패밀리카 항목에서의 학습

프로그램

이 예시에서 가격은 문자 x1로 표시되는 첫 번째 입력 속성(예: 미국 달러)이고 엔진 마력은 문자 x2로 표시되는 두 번째 속성(예: 입방 센티미터 단위의 엔진 배기량)이라고 가정해 보겠습니다. 결과적으로 각 자동차는 두 개의 숫자 식별자 집합으로 표시됩니다.

$$x = \begin{bmatrix} x_1 \\ x_2 \end{bmatrix} \qquad (1.1)$$

레이블이 어떤 타입인지 또한 알려줍니다.

$$r = \begin{cases} 1 \text{ if } x\, is\, a\, positive\, example \\ 0 \text{ if } x\, is\, a\, negative\, example \end{cases} \qquad (1.2)$$

B와 같은 학습 집합은 (x, r)과 같은 정렬된 쌍의 서로 다른 예제 N개로 구성되며, 각 자동차는 고유한 정렬된 쌍으로 표시됩니다.

$$X = x^t, r^t{}_{t=1}^N \qquad (1.3)$$

여기서 t는 배열의 특정 사례를 가리키는 인덱스이며 날씨나 다른 패턴을 반영하지 않습니다.

이제 훈련 데이터를 2차원 공간에서 표현할 수 있습니다. 각 샘플 t$(x_{1,}x_2)$가 각 좌표에서 데이터 포인트 rt를 나타내는 영역은 양수 또는 음수일 수 있는 데이터의 특성을 결정합니다. (x_1^t, x_2^t) (그림 1.1 참조). 전문가와의 추가 논의 및 데이터 분석을 통해,

자동차 엔진의 가격과 성능이 특정 범위 내에 있어야 해당 자동차가 패밀리카로 인정받을 수 있다는 합리적인 근거를 찾을 수 있습니다.

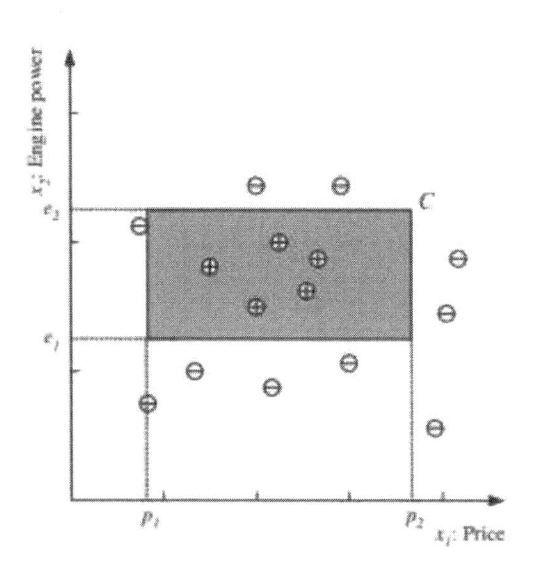

그림 1.2 가설 클래스의 예시. 엔진 가격 대비 성능 비율 차트에서 '패밀리 카' 카테고리는 직사각형으로 표시

$$(p_1 \leq price \leq p_2) AND (e_1 \leq engine\,power \leq e_2) \qquad (1.4)$$

방정식 1.4의 허용 가능한 값이 작동하려면 엔진의 가격 대비 성능 공간에서 C가 직사각형이라고 가정해야 합니다. $p_1, p_2, e_1, \text{and}\, e_2$ 이는 방정식을 풀기 위해 필요합니다. 이는 방정식을 성공적으로 풀기 위해 필요합니다. (그림 1.2 참조). 방정식 1.4는 클래스 C의 기원으로 간주되는 가설 클래스 H의 존재를 강조하며, 이는 직사각형 집합으로 정의됩니다.

따라서 학습 알고리즘의 목표는 문자 h로 표시된 정확한 가설을 찾아 C 값에 최대한 근접하는 것입니다. 전문가가 이 가설을 제안할 수 있지만, 매개변수 값은 알 수 없습니다. 따라서 어떤 h가 C에 가장 근접한지 알 수 없습니다. 하지만, 가설 클래스를 하나로 좁힌 후에는 해당 클래스를 구성하는 네 가지 구성 요소를 식별하는 것이 문제를 훨씬 쉽게 해결할 수 있게 합니다.

이 때, 방정식의 목표는 주어진 조건에서 C에 가능한 한 가까운 h의 값을 찾는 것입니다. 가설 H가 상태 x에 대한 예측을 할 수 있으며, 이 예측이 정확하다고 가정합니다.

$$h(x)\begin{cases}1 \text{ if } h\,classifies\,x\,as\,a\,positive\,example \\ 0 \text{ if } h\,classifies\,x\,as\,a\,negative\,example\end{cases} \tag{1.5}$$

C(x)는 현실 세계에 존재하지 않기 때문에, h(x)가 C와 얼마나 잘 일치하는지 판단할 수 없습니다. 여기서, 가능한 모든 x값의 집합을 훈련 집합 X라고 하며, 이는 더 큰 집합의 상대적으로 작은 부분 집합입니다. 경험적 오차는 훈련 세트 데이터를 검토할 때, 가설 h에 의해 추정된 값이 X에 주어진 필수 값과 일치하지 않는 훈련 예제의 비율로 볼 수 있습니다.

$$E(h|X) = \sum_{t=1}^{N} 1\left(h(x^t) \neq r^t\right) \tag{1.6}$$
$$OR\ 1(a \neq b) is\ 1 \text{ if } a \neq b \text{ and } is\ 0 \text{ if } a = b$$

이 특정 표현에서, 가설 클래스 H는 그릴 수 있는 모든 직사각형의 집합을 나타냅니다. 각 쿼드$(p_1^h, p_2^h, e_1^h, e_2^h)$는 H, h의 가설을 정의하며, 훈련 집합이 주어졌을 때 모든 긍정적인 사례와 부정적인 사례를 모두 포함하도록 이 네 가지 매개변수의 값을 구하여 가장 좋은 가설, 즉 최적의 가설을 선택해야 합니다. 따라서 이 네 가지 파라미터의 값을 찾아야 합니다. 이 매개변수가 실수값인 경우 이 조건이 충족되는, 즉 E 오차가 0인 h는 무한히 많습니다. 양의 사례와 음의 사례 사이의 경계에서 많은 후보 가설이 데이터에 대해 서로 다른 일반화 추정치를 나타낼 수 있습니다. 이를 일반화 문제라고 하며, 가설이 훈련 집합에 포함되지 않은 미래의 샘플을 얼마나 정확하게 분류할 수 있는지에 관한 문제입니다. 모든 샘플과 불량 샘플이 포함되지 않은 가장 큰 직사각형입니다(그림 1.4 참조).

이 시나리오에서는 C가 1이지만 h가 여전히 0인 경우와 C가 0이지만 h가 여전히 1인 경우가 있습니다. 이 프레젠테이션에서는 참 긍정과 참 부정을 올바르게 분류하는 방법과 같은 다른 주제도 다룹니다. 실제로, 집합 S와 집합 G의 구성은 X와 H에 의해 결정되므로, 상당한 수의 Si 및 Gj 구성 요소가 발생할 수 있습니다.

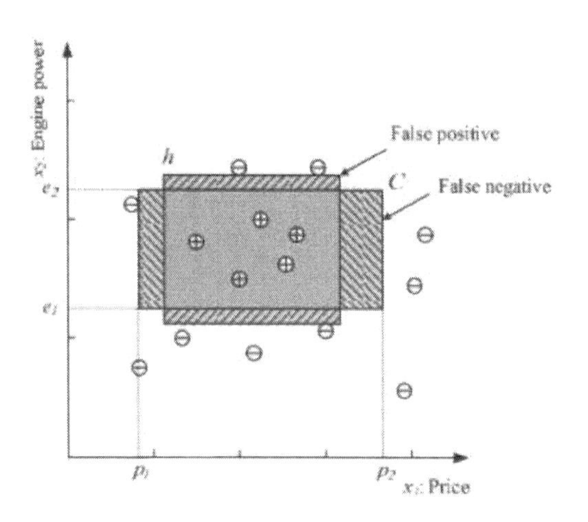

그림 1.3, 실제 클래스는 문자 C로

표시되고 유도 가설은 문자 h로 표기

이러한 분석을 통해, 가장 일반적인 예측은 문자 G로 표시되며, 이는 생성할 수 있는 가장 큰 직사각형으로, 긍정적인 예는 모두 포함하지만 부정적인 예는 포함하지 않는 가장 일반적인 가설입니다(그림 1.4 참조). 유효한 오류 없는 가설은 h의 값이 H보다 작고 S와 G 사이에 있는 가설입니다. 이 가설은 훈련 집합의 데이터 및 해당 버전의 h와 일치한다고 가정합니다.

Mitchell 1997에서 논의된 바와 같이, 후보 스크리닝은 훈련 예제를 하나씩 검토하면서 집합 S와 G를 반복적으로 업데이트하는 데 사용할 수 있는 방법입니다. X가 가능한 한 큰 숫자이고 S와 G의 조합이라고 가정하면, 분석을 계속할 수 있습니다. X가 주어지면, 버전 공간을 사용하여 S, G, 또는 다른 h를 찾은 다음, 가장 잘 맞는 예측으로 선택할 수 있습니다.

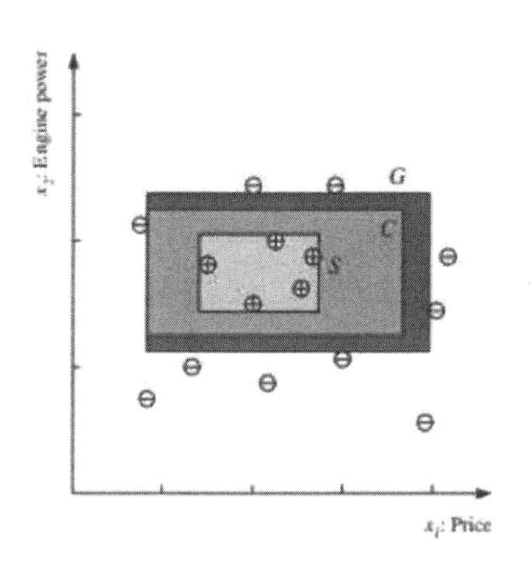

그림 1.4 가설 S가 가장 구체적이고 가설 G가 가장 광범위함

가장 가까운 인스턴스를 찾는 과정에서 사용되는 오차 함수는 단순히 샘플이 경계의 올바른 쪽에 있는지 여부만을 검사하는 것이 아니라, 경계로부터 얼마나 멀리 떨어져 있는지도 고려해야 합니다(그림 2.5 참조). 결과적으로, 오차 함수는 가능한 가장

작은 값(h)을 유지하면서도 가장 큰 여유(margin)를 갖도록 설계됩니다. 따라서, h(x)가 반환하는 결과가 단순히 0/1이 아니라 경계로부터의 거리를 측정하는 값이 되어야 하며, 이를 위한 적절한 손실 함수가 필요합니다.

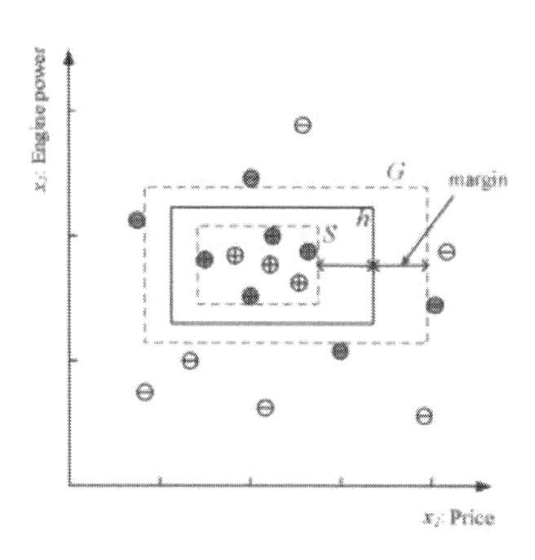

그림 1.5 최적의 분리를 달성하기 위해 동작 범위가 가장 큰 가설을 선택

또한, 물체의 경계까지의 거리를 포함하는 근사치가 필요합니다. S와 G 사이의 모든 상황은 의심스러운 불확실성으로 볼 수 있지만, 증거가 부족하여 절대적으로 확실하다고 말할 수는 없습니

다. 실제로, 잘못된 판단으로 인해 큰 비용이 발생할 수 있는 응용 프로그램에서는 S와 G 사이의 모든 상황을 의심스러운 경우로 간주할 수 있습니다. 이런 상황에서 컴퓨터 시스템은 결정을 인간에게 맡기고 요청을 수락하지 않습니다.

가설의 종류가 주어졌을 때, HC를 학습할 수 없을 수도 있습니다. 즉, 오류가 0인 H보다 작은 h는 존재하지 않습니다. 따라서, 구현을 시작하기 전에 H가 충분히 적응할 수 있는지, 또는 C를 수용할 수 있는 '용량'이 있는지 확인해야 합니다.

2장. 금융에서의 머신러닝 방법: 응용 현황과 전망

2.1 인공지능과 일상 생활

인공지능은 우리 일상 생활의 모든 영역에 빠르게 통합되고 있습니다. 안면 인식 기술은 항공 여행을 더 안전하고 효율적으로 만들고, 음성 인식 기술은 이동 중에도 개인 비서, 스마트폰 및 기타 스마트 홈 디바이스와의 자연스러운 대화를 가능하게 합니다. 점점 더 많은 기업들이 즉각적인 고객 서비스를 제공하기 위해 챗봇을 도입하고 있습니다. 이제 거의 모든 사람이 하루에 한 번 이상 최첨단 AI 기술을 사용하고 있으며, 이러한 상호작용은 매우 복잡한 스펙트럼을 가지고 있습니다. 머신러닝은 종종 인공지능의 가장 중요한 기반이 되며, 로봇은 이제 얼굴 인식, 음성 처리, 대화형 커뮤니케이션과 같은 복잡한 작업을 수행할 수 있습니다.

머신러닝의 잠재력을 고려할 때, 전통적으로 적합하다고 여겨지지 않는 분야에서도 머신러닝 기법의 적용 가능성을 탐색하는 것은 의미 있는 일입니다. 본 연구에서는 금융 검색 분야에서 직면하는 문제들을 해결하기 위해 머신러닝을 어떻게 활용할 수 있는지를 탐구합니다. 은행 업계에서 머신러닝이 제공할 수 있는 이점들은 이미 여러 기사를 통해 소개되었습니다. 대규모 데이터 세트 분석에 머신러닝이 어떻게 가장 적합한 도구가 될 수 있는지 설명한 후, 다양한 머신러닝 알고리즘과 실제 업무에서의 활용 사례들을 살펴보겠습니다.

또한, 계량경제학에서 머신러닝의 미래에 대해서도 간략히 다루겠습니다. 뮬리나탄과 스피스에 따르면, 경제학에서 머신러닝이 가장 널리 적용되는 분야는 예측 문제를 해결하는 것입니다. 검토된 응용 프로그램 중 일부는 이미 활용되고 있으며, 다른 일부는 아직 이론적인 단계에 있습니다. 최적의 머신러닝 알고리즘을 식별하기 위해 머니 렌즈를 사용하는 방법을 포함하여, 기본적인 추정을 넘어서는 머신러닝의 기능, 특히 경제적 관심 영역에서 인과관계를 탐지하는 능력에 대해 설명합니다. 최근 몇 년 동안 자금 세탁 방지를 위한 애플리케이션의 수가 증가했지만, 금융 조사에서 자금 세탁을 활용하는 것은 아직 초기 단계에 있습니다. 이는 다른 산업 분야에서 머신러닝의 활용이 시작되었다는 사실과 대조됩니다.

2010년부터 2017년까지 연평균 머신러닝 논문 수와 비교해 보면, 2018년에는 논문 수가 두 배 이상 증가했습니다. 2019년에는 이미 그 증가율이 5배를 넘어섰고, 2020년에는 이전보다 약 7배, 2021년에는 약 11배 더 많은 논문이 머신러닝을 사용했습니다. 금융 분야에서 머신러닝의 응용 분야가 크게 확장되었음에도 불구하고, 자금 세탁이 어디에 적용되고 금융 분야의 연구 과제를 해결하는 데 어떻게 사용될 수 있는지는 아직 명확하지 않습니다. 이 연구에서는 세 가지 주요 측면에 주목할 필요가 있습니다.

첫째, 비즈니스 및 금융 분야에 특화된 머신러닝에 대해 간략히 소개하고, 머신러닝의 다양한 유형과 각 유형의 목표, 해결 가능한 방법에 대해 설명합니다. 경제학적 관점에서 전통적인 계량경제학적 방법과 머신러닝의 차이점을 강조하며, 금융업계의 주요 자산 가격 책정 문제에 머신러닝을 적용함으로써 기존의 선형적 방법에 비해 머신러닝의 장점을 입증합니다.

둘째, 금융 서비스 산업에서 현재 및 잠재적인 머신러닝 응용에 대한 분류법을 개발합니다. 최근 연구에 따르면 기존의 분류로는 현재의 모든 관행을 포괄할 수 없음이 드러났습니다.

마지막으로, 금융 분야에서 머신러닝의 미래를 조망합니다. 금융 분야에서 머신러닝 애플리케이션에 대한 포괄적인 개요를 제공하고, 연구 분야 및 사용 사례에 따라 학문적 가시성이 어떻게 달라지는지 평가합니다. 전반적으로, 머신러닝 응용 분야가 큰 가능성을 보이며, 향후 연구가 성공할 가능성이 가장 높은 분야를 제시합니다.

기존의 접근 방식과는 달리, 머신러닝을 활용하면 텍스트, 사진, 동영상 등의 고차원 데이터 구조와 이상치를 활용할 수 있습니다. 머신러닝 기술을 이용하면 이러한 데이터베이스에서 경제적으로 중요한 정보를 추출할 수 있으며, 이 정보는 향후 경제 연구의 기반을 마련할 것입니다.

머신러닝의 영역은 "빅 데이터"라는 개념과 밀접한 관계가 있습니다. "빅 데이터"는 다른 데이터 세트에 비해 비정상적으로 많은 수의 변수나 관측값을 포함하는 데이터 세트를 지칭합니다. (Stock and Watson, 2020, 515쪽). 일반적으로 데이터 조각이 많을수록 머신러닝의 예측에 대한 확신이 커집니다. (일반 최소 자승법(OLS) 회귀분석에서 매개변수 추정치의 정확도를 향상시키는 것과 유사합니다). 머신러닝은 데이터에 관측 개수를 초과하는 상당한 수의 변수가 포함될 때, 선형 회귀와 같은 단순한 기법보다 더 나은 성능을 발휘합니다.

금융 머신러닝 구현에 대한 문헌 검토를 통해 그 결과를 다음 세 가지 범주로 분류했습니다: (1) 새로운 벤치마크 생성, (2) 경제 예측 문제에서의 예측 오류 감소, (3) 기존 계량경제학 도구의 확장. 첫째, 연구자들은 머신러닝의 도움으로 새로운 측정 기준을 개발할 수 있습니다. 예를 들어, 이 기법을 기존 데이터 마이닝에 적용하면 특정 경제 요소를 측정하는 데 새롭고 개선된 접근 방식을 제공할 수 있습니다. 머신러닝 측정값이 높을수록 측정 오류가 줄어들고, 표준 측정값보다 경제 관계를 더 정확하게 평가할 수 있습니다. 이러한 최첨단 머신러닝 지표를 통해 이전에는 측정할 수 없었던 경제적 요인을 탐색할 수 있습니다. 둘째, 머신러닝은 경제학자들이 더 정확한 예측을 할 수 있도록 도와줍니다.

예를 들어, 정확한 시장 가격을 추정하는 것은 금융 자산이나 실물 자산의 가치 평가 문제를 극복하는 데 매우 중요합니다. 예측은 머신러닝의 핵심 기술이기 때문에, 머신러닝 방법은 경제 예측 문제를 해결하는 데 있어 기존의 전략보다 더 나은 성과를 낼 수 있습니다. 마지막으로, 머신러닝은 전통적인 계량경제학적 방법을 보완하는 데 사용될 수 있습니다. 예측은 계량 경제학 소프트웨어의 일반적인 기능입니다. 일반적인 예로 계량 변수 설계의 첫 번째 단계가 있는데, 이는 본질적으로 추정 문제입니다. 이러한 기존 계량경제학 도구의 예측 능력은 머신러닝 기법을 사용하여 개선할 수 있습니다. 또한 일부 머신러닝 기법은 그 자체로 새로운 계량경제학 도구로 사용될 수 있습니다. 예를 들어 계량경제학에서 이미 사용되던 다양한 클러스터링 방법들이 ML 기반의 클러스터링 알고리즘을 통해 확장됩니다. 개인 금융과 부동산 경제학에서 중요한 부동산 자산 가격 책정에 ML을 적용하여 일반적인 추정 문제에서 기존 접근 방식에 비해 ML의 이점을 입증합니다.

다양한 객체 속성, 비선형성, 상호 작용 효과(예를 들어 주방의 가장자리는 고급 콘도와 일반 가정집 등 주택 유형과 상호작용할 가능성이 높음)로 인해 부동산 업계는 본질적으로 큰 문제를 안고 있습니다. 우리는 머신러닝 기법(데이터 세트에 있는 부동산의 많은 고유한 특징을 활용)을 사용하여 독일 부동산 시장에서 부동산 가격을 예측하고 이러한 추정치를 전통적인 쾌락적 가격 책정에서 도출된 가격과 비교하였습니다. ML 방법의 평균 가격 추정치는 OLS보다 훨씬 더 진실에 부합합니다. 가격 범위가 높을수록 OLS 예측은 실제 비용과 큰 편차를 보이는 반면, 머신러닝 기반 가격 예측은 훨씬 더 근접하였습다.

이 책은 2010년부터 2021년까지 주요 금융 저널에 게재된 논문의 상대적 성공 여부에 대한 서지학적 분석으로 마무리합니다. 구체적으로 다음과 같은 질문을 다룰 것입니다: 금융 분야에서 연구 방법으로서 머신러닝의 혁신이 얼마나 중요한가? 둘째, 예측을 제외하고 금융 발견 애플리케이션에 대한 머신러닝의 방법론적 관련성은 무엇일까요? 이러한 결과는 여러 금융 전문 분야에 걸쳐 어떻게 다른가요? 머신러닝은 연구 자금에 대한 비교적 새로운 접근 방식이지만, 과학자들 사이에서는 이미 널리 받아들

여지고 있습니다. 주요 금융 학술지 3곳(Journal of Finance, Journal of Financial Economics, Review of Financial Studies)에서 자금 세탁에 관한 논문이 차지하는 비중은 2021년까지 3~4% 증가할 것으로 예상됩니다.

실제로 이 비율은 전반적인 영향력 계수가 낮은 파일에도 적용됩니다. 또한, 당사의 연구에 따르면 은행/기업 금융과 금융 시장/자산 가격 책정에서는 다양한 방식으로 머신러닝을 사용하고 있습니다. 대부분의 은행 및 기업 금융 논문은 머신러닝을 사용하여 우수하고 고유한 지표를 만드는 반면, 금융 시장/자산 가격 책정 문헌은 경제 문제를 예측하는 데 머신러닝을 사용하는 경향이 있습니다. 흥미롭게도 주요 학술지에서는 최첨단 메트릭을 생성하기 위해 머신러닝에 불균형적으로 의존하고 있습니다.

은행과 기업 금융은 특히 머신러닝(ML, Machine Learning)의 영향을 받기 쉬운 두 분야입니다. 이 연구는 비즈니스 및 금융 연구에 새롭고 개선된 측정 방법을 만들기 위해 기존 데이터에 머신러닝 기법을 적용할 수 있는 엄청난 잠재력을 조명합니다. 전반적으로, 이 연구는 금융 분야에서 머신러닝 애플리케이션의 미래가 매우 유망하다는 것을 보여줍니다. 머신러닝이 전통적인 계량경제학 방법과 비교하여 제공하는 다양한 이점, 최근 몇 년 간 머신러닝 관련 출판물의 수가 지속적으로 크게 증가한 점, 그리고 가장 권위 있는 저널에 게재된 연구에 머신러닝이 광범위하게 적용되고 있는 점을 고려할 때, 그렇지 않다고 믿을 이유가 없습니다.

글로벌 경쟁 환경에서, 이 기사는 금융 부문에서 머신러닝 적용에 초점을 맞춘 연구들이 증가하는 추세와 관련이 있습니다. 예를 들어, Nagel(2021)과 De(2018, 2018)는 퀀트 금융, 자산 가격 책정 및 자산 관리에서 머신러닝의 수학적 기반에 대한 연구를 발표했습니다. 이 연구들은 자산 관리와 자산 가격 책정을 포함한 다양한 주제를 다룹니다. 이러한 중요한 개선 사항은 금융 시장에 중점을 두고 다양한 금융 하위 분야의 특정 특성을 다루는 방법과 머신러닝 기법을 신중하게 맞춤화할 수 있는 방법을 보여줍니다.

우리의 접근 방식은 금융 시장 밖에서 흥미로운 머신러닝 애플리케이션을 찾는 것이 목표이기 때문에, 이러한 중요한 문서에 사용된 것과는 크게 다릅니다. 또한, 금융 업계에서 머신러닝의 사용을 분석하는 기존의 여러 일반 문서에도 기여하고 있습니다. 이 연구는 순위 매기기, 범위, 구체성이 다른 조사와 다른 세 가지 측면을 갖습니다. 많은 연구에서 머신러닝 애플리케이션을 텍스트 분석(Aziz 외, 2022) 또는 인용 기반 접근법(Goodell 외, 2021)과 같은 (대부분) 자동화된 기술을 사용하는 애플리케이션 범주별로 금융 하위 부문을 분류합니다.

이전 연구와 달리, 금융 분야에서 머신러닝에 대한 문헌을 방법론적 역할에 따라 정리했는데, 이는 응용 분야에 초점을 맞춘 연구와는 다릅니다. 혁신적인 분류를 통해 문제를 새롭게 바라보고, 잠재력에도 불구하고 대부분 간과되고 있는 금융 분야의 머신러닝 애플리케이션을 찾아냅니다. 기존 설문조사는 주로 예측을 위한 머신러닝 활용에 초점을 맞추고 있지만, 저희는 머신러닝의 두 가지 용도를 강조합니다: 더 좋고 구체적인 지표를 만드는 것과 금융 연구를 위한 기존 계량경제학 도구의 개발 및 확장입니다.

이 모든 머신러닝 메시지는 사람이 평가하고 자동화된 기술을 사용하여 추가로 분석합니다, 이를 통해 관련 맥락이 손실되지 않도록 합니다. 다양한 연구 주제와 방법론에 대한 출판 성공을 기반으로 최근 연구에 대한 서지학적 성과 분석을 수행한 다른 리뷰에서는 머신러닝의 금융 응용 분야를 검토한 적이 없습니다.

이 문서의 나머지 부분에서는 다음 스키마가 사용됩니다: CB를 소개하고 대표적인 금융 사례에 대한 적용 가능성을 보여줍니다. 이 글의 세 번째 부분에서는 가장 일반적인 세 가지 유형의 머신러닝 소프트웨어를 소개하고 관련 문헌에 대한 개요를 제공하며, 향후 금융 분야에서 머신러닝의 가장 유망한 응용 분야를 살펴봅니다.

데이터는 모든 방법에서 중요한 역할을 합니다. 전통적인 계량경제학에서는 일반적으로 독립 변수 X와 단일 종속 변수 y가 포함됩니다. 각 관측치에는 고유한 레이블 y가 있기 때문에, 머신러닝 커뮤니티에서는 이러한 데이터를 "레이블이 지정된 데이터"라고 부릅니다. 선형 회귀는 다양한 맥락에서 사용될 수 있으며, 이해하고 적용하기 쉽기 때문에 고전적인 계량경제학에서 자주 사용됩니다. 선형 회귀에서, 최적 적합선과 t값 및 p값과 같은 통계적으로 유의미한 다른 측정값은 설명 모델 역할을 하는 선형 회귀에서 OLS 추정의 결과입니다. 또한, 레이블이 지정된 데이터가 필요한 지도 학습을 사용하면 경제 변수 간의 상관관계에 대한 결론을 도출할 수 있습니다. 이 경우, X를 예측 변수로 사용하여 추정된 종속 변수는 Y이며, 이는 개별 레이블입니다.

예측 모델과 예상 예측 성능의 추정치는 지도 머신러닝 기법을 사용하여 제공된 데이터를 기반으로 합니다. 예측 모델을 사용하면 데이터가 사용할 수 없는 경우 대상 변수의 값에 대한 표본외 추정 또는 추정치를 생성할 수 있습니다. 과학 문헌에 따르면, 비지도 학습은 레이블이 지정되지 않은 데이터를 사용하는 지도 학습과 다릅니다. 비지도 학습에서는 Y 레이블(또는 회귀 용어에서 Y 종속 변수)이 없기 때문에, 레이블이 없는 데이터의 모든 변수가 "동일"한 것으로 간주됩니다. 제공된 데이터에 대해 비지도 머신러닝 기법을 사용하여 모델 및 데이터 구조 속성을 얻을 수 있습니다. 마지막으로, 두 결과 세트 모두에서 구조적 인사이트를 얻을 수 있습니다. 여기서는 지도 학습과 비지도 학습, 두 가지 주요 유형의 머신러닝에 대해 논의하고 적용 가능한 방법에 대한 개요를 제공합니다. 다음으로, 일반적인 개인 금융 문제인 부동산 가치 추정에 머신러닝을 어떻게 적용할 수 있는지 보여드립니다. 마지막으로, 머신러닝의 몇 가지 단점, 한계 및 제한 사항을 다룹니다.

2.1.1 지도학습 세션

지도 학습의 주요 목적은 훈련 데이터 세트 외부의 데이터를 정확하게 예측하는 것입니다. 사용 가능한 정보를 학습 데이터와 테스트 데이터로 구분하면, 최근 관측치를 기반으로 예상 성능을 더 정확하게 예측할 수 있습니다. 다음으로, 학습 데이터에 지도 머신러닝 방법을 적용하여 예측 모델을 구축합니다. 마지막으로, 예측 모델을 테스트 데이터에 적용하여 표본을 벗어난 예측 성능을 평가할 수 있습니다. 예측 모델을 구축하는 데는 여러 가지 지도 머신러닝 방법이 있으며, 각 방법은 고유한 복잡성 수준을 가집니다. 알고리즘이 복잡할수록 예측력은 더 뛰어나지만, 이해하기가 더 어렵습니다. 이 문서에서는 널리 사용되는 지도 머신러닝 방법을 설명하고, 일반적인 성능과 예측을 얼마나 쉽게 이해할 수 있는지에 따라 순위를 매깁니다. 가장 간단하고 빠른 방법은 일반적으로 선형 최소 제곱(OLS) 회귀입니다. OLS는 해석 가능성이 높지만, 훈련 집합 외부에서 추정을 수행할 때 성능이 좋지 않은 것으로 나타났습니다. 선형 OLS 모델의 예측 능력을 개선하는 한 가지 방법은 모델 사양에 원래 예측 변수의 비선형 변환 및 상호 작용을 포함하는 것입니다. 어떤 비선형성과 상호 작용이 중요해질지 예측하는 것은 어려울 수 있습니다. 결과 변수의 수가 관측 변수의 수를 초과할 때, 가능한 모든 순열을 고려하는 것이 점점 더 어려워집니다. 많은 경우, 생성된 데이터 세트가 지나치게 커져 계산에 어려움을 겪게 됩니다. OLS가 특정 조건 하에서 가장 좋은 비편향 선형 추정기(BLUE)라는 점을 고려할 때, 편향을 고려하면 예측 성능을 향상시킬 수 있다는 주장이 제기되었습니다.

설명 문제와 달리 추정 문제에서는 예측력을 극대화하기 위해 변수 계수가 완전히 객관적일 필요는 없습니다. 평활 선형 기법을 사용하여 체계적으로 편향을 도입함으로써 OLS 추정의 정확도를 향상시킬 수 있습니다. 조정은 이러한 방법을 사용하여 예측 변수의 계수 크기를 줄여 예측 성능을 개선하는 것을 의미합니다. 평활 선형 회귀에 가장 많이 사용되는 접근 방식은 가장 작은 선택 및 축소 연산자(LASSO)입니다.

LASSO는 OLS와 기능이 유사하지만, 정보를 거의 또는 전혀 제공하지 않는 다양한 계수의 중요성을 최소화하기 위해 최적화 함수에 페널티 요소를 포함한다는 점에서 편향되어 있습니다. 페널티 항은 중요하지 않은 계수를 제거하는 매우 특정한 함수 형태를 취합니다. 따라서 LASSO는 순수한 추정뿐만 아니라 해석 가능성이 상당히 높기 때문에 변수 선택에도 사용됩니다. LASSO 외에도 각각 고유한 페널티 함수를 가진 다른 일반 선형 알고리즘이 있습니다. 릿지 회귀의 페널티 함수는 계수를 0으로 강제하지 않기 때문에 결과를 해석하기가 더 어렵습니다. 하지만 LASSO 회귀에 비해 일반적으로 릿지 회귀가 더 나은 예측 성능을 보입니다. 이 두 가지 전략은 엘라스틱넷 회귀에 결합됩니다. LASSO 회귀와 릿지 회귀의 장점을 모두 포함하기 위해, 페널티 항은 이 두 가지를 선형적으로 조합한 것입니다. 비선형적인 상황과 상호 작용 효과를 수동으로 고려하는 대신, 방금 언급한 것과 같은 고급 머신러닝 접근 방식은 이를 자동으로 수행합니다.

트리 기반 머신러닝 기법은 수치 데이터를 분석하는 데 널리 사용됩니다. 다른 모든 트리 방법은 가장 간단한 트리 방법인 의사 결정 트리로 분해할 수 있습니다. 주택 가격 추정을 위한 의사 결정 트리는 가장 간단한 형태로 그림 3에 나와 있습니다.

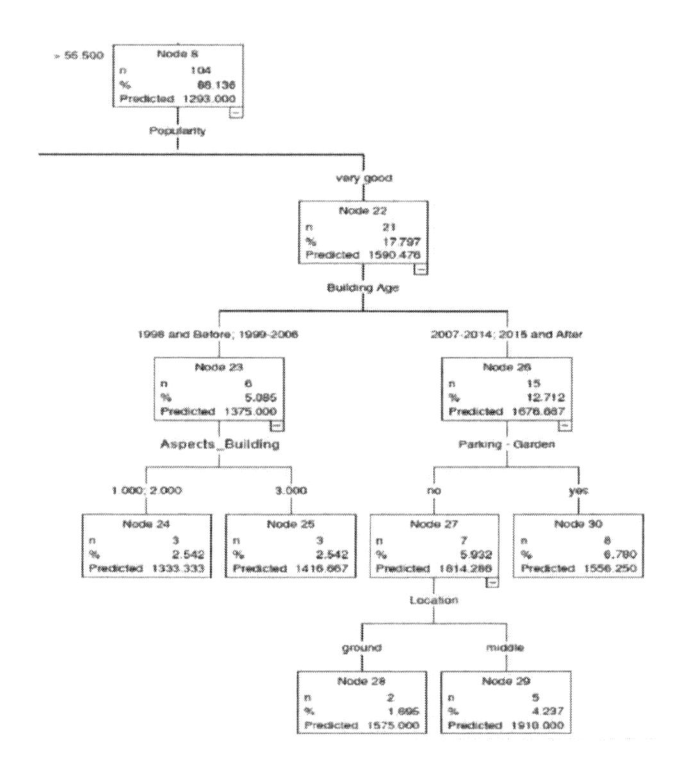

그림 3. 주택 가격 추정을 위한 의사결정 트리의 예시

트리는 특정 예측 변수의 값에 따라 특정 노드로 분기됩니다. 대부분의 의사 결정 트리에는 두 개 이상의 노드 레벨이 있으므로 여러 요인의 상호 작용을 설명합니다. 예측 값을 제공하기 위해 의사 결정 트리는 리프 노드에 도달하면 진행을 중지합니다. 의사 결정 트리는 임계값과 예측 변수를 슬라이스로 쉽게 볼 수 있기 때문에 상대적으로 해석 가능성이 높습니다.

랜덤 포레스트의 트리는 다양한 의사 결정 유형의 조합입니다. 특히, 랜덤 포레스트 기법은 입력 데이터의 부트스트랩 샘플에서 가져온 각 샘플에 대해 새로운 의사 결정 트리를 생성합니다.

랜덤 포레스트의 추정치는 모든 개별 트리에 대한 추정치의 평균입니다. 랜덤 포레스트는 단일 의사 결정 트리보다 더 정확한 예측을 제공하는 경우가 많지만, 이해하기가 본질적으로 더 어렵습니다. 고급 회귀 트리(boosted regression trees)는 랜덤 포레스트의 아이디어를 기반으로 하여 예측 효율성을 더욱 높이기 위해 개발되었습니다. 여러 개의 서로 다른 의사 결정 트리를 통합하는 대신, 강화된 회귀 트리 방법은 이전 포리스트에서 적절하게 예측할 수 없었던 관측치를 고려하여 반복적으로 트리를 구축합니다. 고급 회귀 트리는 데이터 과학 경진 대회에서 우승한 알고리즘 중 하나이며, 종종 랜덤 포레스트보다 우수한 예측력을 보여줌으로써 그 우수성을 더욱 부각시킵니다.

신경망(neural networks)은 숫자 데이터를 사용하는 트리 기반 머신러닝 접근 방식보다 텍스트, 사진 또는 동영상과 같은 비전통적인 데이터에서 더 잘 작동하는 경우가 많습니다. 신경망은 뉴런 자체(일반적으로 '레이어'로 배열됨)와 뉴런 간의 연결로 구성됩니다. 화살표는 한 뉴런에서 다른 뉴런으로 정보가 전달되는 방식을 나타냅니다. 신경망을 훈련하기 위해, 예를 들어 픽셀 수준의 사진 데이터와 같은 예측 변수가 네트워크의 입력 레이어에 처음 입력됩니다. 최종적으로, 출력 레이어는 숨겨진 레벨에서 처리된 정보를 수신한 후 최종 투영 값을 반환합니다. 뉴런은 하위 수준의 뉴런으로부터 받은 정보를 가중치를 부여하여 축적하는 가장 기본적인 수준에서 작동합니다(가중치는 훈련 과정에서 내부적으로 결정됩니다). 이 가중치 축적은 비선형 함수의 적용을 받습니다, 예를 들어 로지스틱 함수와 같은. 마지막 단계에서 뉴런은 계산 결과를 상위 계층에 있는 모든 뉴런에 전송합니다. 계층 수, 각 계층의 뉴런 수, 뉴런 간의 연결, 비선형 함수의 형태 등 문제의 세부 사항은 외부 신경망 설계자가 지정합니다.

신경망은 수만 개의 시냅스와 상호 작용으로 인해 실제 애플리케이션에서 상당히 복잡해질 가능성이 있습니다. 즉, 한 계층에 있는 각 뉴런의 출력이 다음 계층에 있는 각 뉴런의 입력을 공급할 필요는 없습니다. 신경망은 여러 가지 제안된 토폴로지를 사용하여 구축할 수 있습니다. 피드포워드 네트워크(feedforward networks)는 가능한 가장 단순한 뉴런을 사용하고 백링크가 없어 정보가 왼쪽에서 오른쪽으로 쉽게 흐를 수 있기 때문에 가장 단순한 토폴로지 중 하나입니다. 신경망은 그 특성과 복잡성으로 인해 해석하기 어렵다고 알려져 있습니다. 신경망의 숨겨진 계층은 네트워크에서 얻은 정보를 나타내지만 종종 거의 드러나지 않습니다. 컴퓨터 과학 분야에서는 신경망의 해석을 용이하게 하기 위한 연구가 활발히 진행되고 있습니다. 베이지안 정리(Bayesian theorem)와 서포트 벡터 머신(SVM) 방법을 사용하여 관측값을 분류하는 오래된 머신러닝 접근법도 있습니다. 이러한 기법에 대한 자세한 내용은 위의 리소스를 참조하시기 바랍니다.

2.1.2. 비지도 학습 개요

비지도 학습의 목표는 연구 중인 데이터 구조에 대한 추론을 도출하는 것입니다. 데이터 구조는 매우 광범위한 범위를 다루기 때문에, 비지도 학습 접근 방식을 수많은 하위 섹션으로 나누어야 합니다. 비지도 학습과 관련하여 클러스터링(clustering)과 차원 축소(dimensionality reduction)가 가장 많이 사용되는 두 가지 하위 범주입니다. 클러스터링은 유사하지만 서로 다른 관찰 그룹을 생성하는 데이터를 구성하는 방법입니다. K-평균(K-Means)은 오늘날에도 여전히 널리 사용되는 중심 기반 클러스터링 접근 방식의 예입니다. DBSCAN은 밀도 기반 클러스터링 접근 방식의 예입니다. 가우스 혼합 모델(Gaussian Mixture Models)은 정규 분포 데이터에 사용됩니다. BIRCH는 계층적 클러스터링에 널리 사용되는 접근 방식입니다.

차원 축소의 목적은 데이터 집합의 정보 밀도를 높이면서 데이터의 원본 정보를 가능한 한 많이 보존하는 것입니다. 주성분 분석(PCA)은 데이터에서 가장 큰 변동을 설명하는 초기 변수의 선형 조합을 생성합니다. 자동 인코더(autoencoders)는 신경망 기반 차원 축소 기법의 예입니다.

오토인코더의 두 가지 주요 구성 요소는 입력 데이터를 압축하는 인코더 네트워크와 압축된 데이터를 원래 형태로 복원하는 디코더 네트워크입니다. 사용 가능한 데이터로 인코더와 디코더 네트워크를 학습시키기 위해 단일 병목 계층을 사용하여 두 네트워크를 연결합니다. 오토인코더는 원본 데이터를 정확하게 재구성할 수 있지만 병목 계층의 압축 데이터 표현은 데이터의 차원을 줄이면서 관련 정보를 유지하는 데 효과적이었습니다. 비지도 학습은 클러스터링 및 차원 축소보다 더 많은 하위 범주를 가지고 있지만, 지금까지 금융 분야에서는 사용 빈도가 약간 낮았습니다. 연관 규칙 마이닝은 머신러닝을 사용하여 서로 다른 매개 변수 간의 연결을 시도합니다.

예를 들어 소비자의 구매 내역을 사용하여 함께 구매할 제품을 결정할 수 있습니다. 이상값을 식별하는 목적은 표준에서 크게 벗어난 데이터 포인트를 식별하는 것입니다. 이상값을 탐지하는 검증된 접근 방식이 확산되고 있지만, 특히 고차원 환경에서는 머신러닝 기반 방법이 더 효율적인 경우가 많습니다. 합성 데이터를 생성하는 기술은 이전에 설정된 기준을 준수하는 합성 데이터를 생성하는 것이 가장 중요한 목표입니다. 예를 들어, 경쟁적 생성 네트워크는 신경망을 사용하여 이전에 트레이닝에 사용되었던 데이터와 매우 유사하도록 설계된 새로운 시뮬레이션 데이터를 생성합니다. 특히 B가 진품으로 간주되는 제조된 사진을 생성하려고 할 때와 같이 전통적인 데이터가 아닌 경우에 유용합니다.

2.2 적절한 가격 예측에 적용

머신러닝이 기존 접근 방식과 어떻게 다른지 보여드리기 위해 주택 가격 예측 문제에 머신러닝을 적용해 보았습니다. 이 세 가지 요소로 인해 주택 가격 예측은 머신러닝이 금융 업계의 문제를 해결하는 데 어떻게 유용할 수 있는지를 보여주는 훌륭한 사례 연구입니다. 우선, 부동산은 경제에서 매우 중요한 부분입니다. 미국 전체 부동산의 총 가치는 미국 주식 및 채권 시장의 총 가치에 매우 근접합니다. 대부분의 사람들에게 주요 부의 원천은 집입니다. 2007~2008년 글로벌 금융 위기는 부동산 부문의 사건이 전 세계 경제에 얼마나 광범위한 영향을 미칠 수 있는지를 보여주는 대표적인 사례입니다. 따라서 부동산 가격 예측의 신뢰성을 높이는 것은 매우 중요한 경제 문제입니다. 부동산 가격 예측을 복잡하게 만드는 두 번째 요인은 부동산 자산의 고유한 다양성(각 부동산의 고유성)입니다.

셋째, 부동산 가치 평가는 변수가 많고 비선형성 및 상호작용 효과가 클 수 있기 때문에 본질적으로 고차원적인 문제이며, 특히 ML은 기존의 주류 접근 방식에 비해 이점을 제공합니다. 부동산 가치는 종종 쾌락적 가격을 사용하여 추정되었습니다.

보고된 부동산 가격 및 속성에서 일반 최소자승 회귀 기법을 사용하여 선형 가격 모델을 개발합니다. 이를 통해 모델은 정보가 불충분한 특징값에 대한 예측을 할 수 있습니다. 또한 기능에 대한 회귀 계수를 "그림자 가격"으로 볼 수도 있습니다. 그러나 쾌락적 가격 책정은 선형 모델을 기반으로 하기 때문에 비선형적인 상황이나 상호 작용 효과를 고려하지 않습니다.

건물의 토지가 중앙에 100㎡, 교외에 50㎡인 경우 중앙에 있는 토지의 가치가 더 높습니다. 이러한 특수 효과는 선형 모델에 수동으로 통합할 수 있지만 다른 많은 비선형 및 상호 작용 효과가 누락될 수 있습니다. 선형 쾌락적 가격 책정 모델에서는 이러한 측면이 무시되므로 정보 낭비가 발생할 수 있습니다. 반대로 머신러닝 방법은 비선형적인 상황과 상호작용을 자동으로 고려합니다. 따라서 지도형 머신러닝은 선형 쾌락 가격 모델보다 더 정확한 가격 예측을 제공할 수 있습니다. 이 글에서는 머신러닝이 부동산 가치의 정확성을 향상시키는지 여부와 그 방법을 살펴봅니다. 2000년 1월부터 2020년 9월까지 독일의 5대 온라인 부동산 플랫폼과 주요 신문에 게재된 400만 건 이상의 아파트 광고를 기반으로 분석했습니다.

요청된 값은 숙소의 모든 관련 개별 특성과 함께 데이터 문서에 포함됩니다. 이러한 데이터를 활용하여 단독주택의 가격을 예측하기 위한 다양한 머신러닝 모델을 훈련하고, 이러한 모델을 쾌락적 가치의 선형 서수 로지스틱 회귀 모델과 비교합니다.

OLS 벤치마크와 비교했을 때, 8가지 머신러닝 기법을 사용한 가격 예측의 정확도가 크게 향상되었습니다. 가장 효과적인 머신러닝 기법인 증강 회귀 트리는 표본 외 R2를 77%로 크게 증가시켜 OLS의 40%에 비해 결과적으로 공시된 가격의 변동폭을 거의 두 배로 늘립니다. 개선된 회귀 트리에서 도출된 추정치는 실제 값과 비교했을 때 분산이 약 27%인 반면, OLS 분산은 약 44%입니다. 고급 회귀 트리의 향상된 예측 성능은 평균 약 9만 4,000유로의 가격 오차에 해당하는 반면, OLS의 경우 17만 6,000유로에 해당합니다. 이 차이는 통화로 표현할 수 있습니다.

이 예에서 주택의 일반적인 가격은 393,000달러이므로 머신러닝으로 생성된 가격 추정치의 정확도가 증가하면 통계적으로 유의미할 뿐만 아니라 상업적으로도 의미가 있습니다. 머신러닝으로 인한 가격 정확도 향상은 평균적으로 이미 상당히 놀라운 수준이지만, 가격 스펙트럼의 고가로 갈수록 그 이점은 더욱 분명해집니다. 그림 4는 최고 성능의 머신러닝 기법인 강화 회귀 트리의 예측 능력과 주택 가격의 5사분위수에서 OLS의 예측 능력을 비교한 것입니다.

모든 백분위수에서 강화 회귀 트리(Enhanced Regression

Trees) 기법은 일반적인 최소 제곱 방법(Ordinary Least Squares, OLS)보다 성능이 더 우수합니다. OLS는 가격 스펙트럼의 낮은 끝과 높은 끝에서 성능이 좋지 않은 반면, 머신러닝은 가격이 비싼 부동산의 가격 오류를 줄이는 데 특히 유용합니다. 가장 비싼 가격대에 적용할 경우, 강화된 회귀 트리 접근 방식을 사용하면 평균 가격 오류를 24%까지 낮출 수 있는 반면, OLS 방식은 50%까지 낮출 수 있습니다. OLS와 비교할 때 강화 회귀 트리의 향상된 예측 성능은 최고가 백분위수에서 평균 가격 오류를 240,000유로 이상 줄인 것에 해당합니다. 이 수치는 금액으로 환산한 것입니다.

상위 백분위수에 속하는 주택의 일반적인 가격이 약 88만 4,000달러라는 점을 감안하면, 머신러닝이 가져온 가격 결정력의 향상은 놀랍습니다. 연구 결과에 따르면 비선형성과 상호작용 효과는 부동산 가치를 결정하는 데 중요한 요소이며, 특히 전자는 고가 부동산에서 더욱 중요한 것으로 나타났습니다. 이번 연구 결과는 경제 예측 문제를 다룰 때 예측 오류를 줄이기 위해 머신러닝 전략을 사용할 때의 이점에 대한 증거를 제공합니다.

주택 가격 추정의 문제를 해결하기 위해 머신러닝은 기존의 선형 회귀 분석과 비교할 때 수학적, 상업적으로 상당한 예측 오류를 줄일 수 있는 잠재력을 가지고 있습니다. 재처리의 이미 상당한 이점은 특정 가격 범주에 속하는 자산의 경우 평균적으로 훨씬 더 크게 발생합니다. 따라서 머신러닝 방법은 일반적으로 예측의 정확도를 향상시킬 뿐만 아니라 특히 기존 기법이 어려움을 겪는 관찰에 대해 예측 정확도를 향상시킵니다. 즉, 머신러닝은 예측을 더 정확하게 할 뿐만 아니라 예측을 더 정확하게 할 수 있습니다.

2.3. 제한 사항, 주의 사항 및 기타 머신러닝 문제

2.3.1 금융 부문의 머신러닝 적용: 분류

최근 머신러닝을 활용한 금융 관련 연구 발표가 증가하고 있습니다. 하지만 많은 학자들이 금융 분야에서 머신러닝을 어디에 활용해야 하는지, 어떻게 하면 효과적으로 활용할 수 있는지에 대해서는 잘 모르고 있습니다. 이 책에서는 다양한 환경에 적용할 수 있는 기존 머신러닝 프로그램에 대한 분류 체계를 제시합니다. 이 책은 머신러닝을 적용하면 큰 이점을 얻을 수 있는 여러 금융 연구 하위 영역을 개괄적으로 설명하는 것으로 시작합니다. 둘째, 은행 및 금융 분야의 머신러닝 애플리케이션에 대한 심층적인 분석을 제공합니다. 셋째, 이 책은 독자가 해당 분야에서 수행되는 작업의 맥락을 전체적으로 이해하는 데 도움이 됩니다. 따라서 금융 분야의 새로운 머신러닝 애플리케이션에 대한 연구를 안내하는 데 유용할 수 있습니다.

여러분들이 잘 아시다시피 머신러닝과 전통적인 계량경제학 방법은 동일한 문제에 대해 서로 반대되는 접근 방식을 취합니다. 금융 연구의 표준 모델인 최소자승법 선형 회귀의 주된 목적은 경제 변수의 관계를 파악하여 경제 사건에 대한 설명을 제공하는 것입니다. 그러나 머신러닝은 제공된 데이터에서 구조를 추론하여 예측 오류를 줄이는 예측을 제공할 수 있습니다. 금융 분야의 머신러닝 문헌을 검토하기 위해 가장 권위 있는 금융 저널인 NBER 워킹 페이퍼 시리즈와 SSRN 프리프린트 리포지토리 금융 경제학 네트워크에서 머신러닝 기법의 이름과 파생물을 검색했습니다. 이 논문들을 살펴보겠습니다. 그리고 이들이 사용하는 다양한 머신러닝 연구 접근법을 세 가지 주요 범주로 분류했습니다.

(1) 혁신적이면서 좋은 연습 생성 $y = \beta X + \epsilon$

(2) 경제적 예측에 있어서 에러의 최소화 $\hat{y} = f(X)$

(3) 셋째, 경제적 분석을 위한 새로운 방법과 도구의 개발

$y = \beta X + \epsilon$ ML

첫 번째 유형의 연구는 머신러닝을 사용하여 설명 변수 중 하나에 대한 새롭거나 개선된 지표를 개발합니다. 최소자승법과 같은 방법을 사용하여 계산된 전통적인 모델이 이러한 원칙의 근간을 이루고 있습니다. 두 번째 유형의 연구는 머신러닝을 사용하여 경제적 결과를 더 잘 예측합니다. 지도형 머신러닝 기법은 가변 함수 형태를 예측 모델에 통합하여 더 높은 예측 성능을 제공할 수 있습니다. 세 번째 유형은 머신러닝을 사용하여 기존의 계량 경제학 방법을 보완하는 연구입니다. 머신러닝 기법은 그 자체로 새로운 계량경제학적 접근법을 나타내거나 전통적인 접근법의 일부 측면을 개선하는 데 사용될 수 있습니다. 다음 섹션에서는 머신러닝의 세 가지 대표적인 금융 응용 분야에 대한 포괄적인 문헌 검토를 제공합니다.

2.3.2. 고유하고 최적화된 방법 설계

금융 업계에서 머신러닝의 활용 예 중 하나는 새롭고 개선된 지표를 생성하는 것입니다. 이러한 연구는 텍스트, 이미지, 동영상과 같은 고차원의 비정형 데이터를 활용하여 경제 변수에 대한 정량적 측정치를 만듭니다. 전통적인 방식으로 텍스트 데이터를 분석하는 경우, 특정 사전에 포함된 단어의 수에 의존하게 되며, 이미지와 동영상의 분석은 사람의 판단에 많은 시간이 소요됩니다. 머신러닝 기술을 사용하면 기존 데이터 속 숨겨진 인사이트를 더 간단하고 효과적으로 접근할 수 있습니다. 지도 학습으로 얻은 추정치, 비지도 학습으로 얻은 데이터 구조 정보, 또는 이 두 학습 유형의 조합을 통해 경제 변수의 측정값을 구축할 수 있습니다. 가장 중요하거나 최신의 데이터는 독립 변수로 사용되며, 더 정밀한 도구를 사용하여 측정 오류가 적은 측정값을 더 정확하게 추정할 수 있습니다.

새로운 지표를 통해 이전에 측정할 수 없었던 경제의 측면을 탐구할 수 있는 새로운 연구가 가능해졌습니다. 머신러닝을 활용하여 우수하거나 독특한 측정값을 생성하는 대부분의 연구는 선형 회귀와 같은 전통적인 계량경제학적 방법을 사용합니다. 이러한 연구는 크게 세 가지 범주로 나뉩니다.

(1) 감정 측정,

(2) 비즈니스 리더의 특성 측정

(3) 기업 특성 차원

2.3.3 대상의 감정 상태 평가

개인의 신념은 긍정에서 부정에 이르기까지의 척도를 사용한 기분 측정으로 특성화할 수 있습니다. 대부분의 연구는 텍스트 데이터를 활용하여 의견 기준을 개발하는 데 초점을 맞춥니다. 예를 들어, 텍스트 데이터로부터 감정 측정값을 구성하는 것은 여러 방법으로 수행될 수 있으며, 이 중 하나는 사전을 사용하여 재무 보고서에서 감정을 추출하는 접근 방식입니다. 이 방법은 금융 관련 어휘 목록을 사용하여 부정적인 용어의 수를 계산함으로써 결과의 정확도를 높입니다. 그러나 사전 기반 방법은 단어의 문맥을 고려하지 않는 단점이 있습니다. 반면, 머신러닝 기반 시스템은 단어의 문맥뿐만 아니라 단어 간의 관계와 일반적인 의미도 고려할 수 있습니다.

기분은 다양한 주제에 적용될 수 있으며, 소비자 인식에 대한 포괄적인 연구를 제공할 수 있는 머신러닝 기반의 통계적 기법이 있습니다. 특히, 시장 심리에 대한 연구는 주식 시장에서 머신러닝과 정서 분석이 가장 일반적으로 적용되는 분야입니다. 이러한 연구는 주식 감정 지표의 영향을 조사하고, 소셜 미디어를 기반으로 한 투자자 심리 지표를 공식화하기 위한 다양한 연구가 진행되었습니다.

2.3.4 비즈니스 리더가 제시하는 성격 특성 지표

비즈니스 리더십의 중요한 역할을 조사하는 연구에 머신러닝을 결합함으로써 리더십 특성을 더 혁신적으로 측정할 수 있습니다. 많은 연구에서 머신러닝을 사용하여 CEO의 성격 특성을 측정하고, 이를 기반으로 자금 조달 결정, 투자 결정 및 운영 성과의 영향을 조사합니다. 머신러닝 기반 얼굴 판독 소프트웨어는 CEO의 표정을 분석하여 기분을 측정하고, 이러한 감정이 업무 효율성에 미치는 영향을 조사합니다.

이러한 연구는 머신러닝이 금융 분야에서 얼마나 다양하게 활용될 수 있는지를 보여줍니다. 머신러닝은 전통적인 계량경제학적 방법과는 다른 접근 방식을 제공하며, 이를 통해 새로운 지표를 생성하고, 경제적 결과를 더 정확하게 예측하며, 기존의 계량경제학 방법을 보완할 수 있습니다.

2.3.5 조직 특성에 대한 정량적 평가

금융 업계에서 머신러닝을 활용하는 세 번째 범주의 연구는 기업의 특성에 대한 지표를 생성하기 위한 머신러닝 기반 접근법을 개발하는 것입니다. 첫 번째 하위 범주는 기업의 재무적 특성과 노출된 위험과 관련된 측정치를 포함합니다. 연례 보고서에 머신러닝을 적용하여 재무적 한계를 추정하는 연구가 수행되었으며, 머신러닝 기반의 측정치는 현재 사용 중인 다른 지표들보다 우수한 성능을 보였습니다. 금융 산업의 일반적인 위험에 대한 측정을 공식화하기 위해 머신러닝 기반의 트레이딩 서비스를 활용하고, 각 은행의 연간 보고서를 데이터 소스로 사용합니다. 이러한 관찰을 통해 주식 시장 수익률과 은행의 불안정성에 미치는 영향, 그리고 은행 붕괴 가능성을 조사합니다.

머신러닝 기반의 텍스트 분석 접근 방식을 사용하여 비즈니스 노출 및 코로나19 대응에 대한 지표를 생성하는 연구도 있습니다. 또한, 23가지의 다양한 전산 언어학적 방법과 머신러닝을 사용하여 조직이 직면한 사이버 보안 위험 수준을 평가합니다. 소셜 미디어에서 머신러닝 기반 텍스트 분석을 사용하여 사이버 보안 위험을 평가하는 방법에 대한 인사이트도 제공됩니다.

머신러닝은 기업 문화 연구에서도 유용합니다. 컨퍼런스 콜 녹취록에서 기업 문화 특성을 추출하고, 기업 문화를 구성하는 상위 5가지 가치에 대한 측정치를 개발하는 데 머신러닝을 사용할 수 있습니다. 이러한 지표를 활용하여 기업 문화가 회사 정책, 예를 들어 임원 보상 및 위험 감수성에 미치는 영향을 분석할 수 있습니다. 또한, 기업이 평등 기관에 제출하는 보고서를 분석하여 기업 내 젠더 문화에 대한 다양한 척도를 개발합니다.

머신러닝의 가능성은 새로운 비즈니스 커뮤니케이션 수단의 개발을 가능하게 합니다. 기업의 정치적 성향을 측정하고, 상업적 상호 작용에서 잠재적인 이해 상충을 발견하는 데 도움이 될 수 있습니다. 벤처 캐피탈 분포에 대한 연구를 통해 벤처 캐피탈 비율을 정립할 수 있으며, 머신러닝을 사용하여 신디케이션 그룹을 조사하고 이러한 그룹이 스타트업의 발전과 새로운 비즈니스의 혁신에 미치는 영향을 평가할 수 있습니다.

2.3.6 경제 예측 문제에 적용 가능한 마진 감소 오차 방법

금융 분야에서 머신러닝 응용의 두 번째 원형은 경제 예측 문제의 부정확성을 줄여 결과의 정확성을 향상시키는 것입니다. 머신러닝을 적용하면 예측 오류를 최소화하거나 더 정확한 예측을 도출할 수 있으며, 이는 숫자 데이터뿐만 아니라 텍스트, 이미지, 동영상과 같은 비전통적 데이터로도 확장될 수 있습니다. 지도 머신러닝 알고리즘을 사용하여 경제 변수에 대한 예측을 생성하고, 이는 경제 예측 문제를 해결하는 과정에 직접적으로 기여합니다.

2.3.7 자산 가격 예측 및 시장 거래 메커니즘

자본 시장을 연구할 때, 자산 가격과 거래 과정에 대한 정확한 예측은 매우 중요한 고려 사항 중 하나입니다. 다양한 유형의 예측 문제에서 머신러닝은 예측의 불확실성을 최소화하는 데 도움을 줄 수 있습니다. 우리는 예측을 주요 시장, 투자자, 주식, 채권, 통화, 파생상품, 그리고 광범위한 시장 파생상품의 7가지 하위 카테고리로 나눕니다. 특히, 미래 주식 수익률 예측은 주식 하위 카테고리에서 가장 일반적인 머신러닝 기반 예측 유형이며, 이는 교차 자산 가격 영역과 밀접하게 연결되어 있습니다.

이 책에서는 머신러닝을 활용하여 단면 주식 수익률과 종목 선택을 예측하는 방법에 대한 개요를 제공합니다. 고차원 데이터를 활용해 자산 전반에 걸친 가격 책정 문제를 해결합니다. 기업 특성, 과거 주식 수익률, 거시경제 변수 등을 분석하여 미래 주식 수익률을 정확하게 예측합니다. 일반 선형 모델부터 신경망에 이르기까지 다양한 복잡성의 머신러닝 기법을 활용합니다. 또한, 어떤 예측 변수가 주식 수익률의 단면을 예측하는 데 가장 유의미한지 조사합니다.

재무제표에서 발견되는 변수를 활용하여 기업이 실적을 발표할 때 발생하는 비정상적인 주식 수익률을 예측합니다. Lasso, 랜덤 포레스트, 신경망을 사용한 분석을 통해 현금흐름표에서 어떤 변수가 가장 중요한지를 결정합니다. 최대 회귀(Maximum Regression)를 사용하여 주식 실적의 이상 가능성을 확인할 수 있습니다. 머신러닝을 활용하여 다양한 잠재적 위험 변수가 주식 시장 수익에 대한 일반적인 설명에 얼마나 기여하는지를 확인합니다. 금융 시장의 변동성에 초점을 맞춘 연구 중 하나는 연간 보고서를 기반으로 주가의 미래 변동성을 예측하는 것이며, 다른 하나는 주가에 의해 결정되는 VIX 순간 변동성 지표를 기반으로 합니다.

머신러닝을 활용하여 주식 시장 수익과 전반적인 경제 활동 사이의 연관성을 조사합니다. 가중 회귀 트리를 사용하여 주식 시장 수익률과 일상적인 경제 활동을 정량화하는 지표 사이의 공분산에 대한 예측을 수행합니다. 머신러닝은 개별 기업의 수익률뿐만 아니라 일반적인 주식 시장의 움직임, 특히 주식 위험 프리미엄을 예측할 때 발생하는 오차 범위를 줄일 수 있습니다. 이는 머신러닝이 과거 데이터를 통해 학습할 수 있기 때문에 가능한 일입니다.

2.3.8 신용 위험에 관한 어려움

신용 위험 추정 문제는 경제 예측 과제의 전형적인 예로, 궁극적으로 채무 불이행 가능성이 있는 잠재적 채권자를 파악하는 것이 목표입니다. 결과적으로, 머신러닝은 부정확한 예측의 수를 줄이고, 자금 조달 절차와 같은 의사 결정의 수준을 높일 수 있는 잠재력을 가집니다. 신용 위험 예측에 대한 이번 조사에서는 소비자 신용 위험, 부동산 관련 신용 위험, 기업 신용 위험의 세 가지 하위 범주가 있다는 사실을 발견했습니다.

머신러닝은 모든 유형의 소비자 대출에 대한 사전 정의된 예측을 제공하기 위해 소비자 신용 위험 연구에 사용됩니다. 기존 신용 평가 모델에 비해 증강 회귀 트리와 심층 신경망 등을 사용하는 고급 머신러닝 접근 방식은 수집된 데이터에서 더 정확한 예측을 얻을 수 있습니다. 전통적인 신용 평가 모델은 여전히 널리 사용되고 있습니다. 또한, 가장 중요한 추정치와 예측 결과에 영향을 미치는 다양한 방법에 대해서도 논의합니다. Tantri(2021)는 대출자와 대출 특성에 대한 동일한 데이터를 사용하여 자동 회귀 트리로 소비자 대출 채무 불이행을 추정합니다. 이들은 머신러닝을 기반으로 한 사전 정의된 예측을 사용하면 대출 효율성을 개선할 수 있다는 사실을 발견했습니다.

2.4 기업 실적 및 재무 정책 예측

기업 재무 연구자들이 탐구하는 주요 주제 중 하나는 특정 기업의 결과를 결정하는 요인들을 분석하는 것입니다(예: 자본 구조). 이러한 요인들은 머신러닝을 통해 예측될 수 있습니다. 현재 이 분야에서 접근 가능한 연구는 재무 결과, 비즈니스 기만, 출시 성공의 세 가지 범주로 나눌 수 있습니다.

머신러닝을 활용한 경제 상황 예측에 관한 두 개의 독립적인 연구가 발표되었습니다. 아미니, 엘모어, 스트라우스(2021)는 기업 자본 구조 문제를 기업 금융의 전형적인 문제로 보고, 이를 분석의 모델로 삼았습니다. 이들은 다양한 머신러닝 기법을 적용하여 자본 구조의 표준 요소를 분석하고, 이러한 요소가 기업 부채에 대한 가정에 어떻게 기여하는지를 조사했습니다.

기업 사기, 특히 회계 사기를 예측하는 것은 기업 수익 및 세금 정책 분야에서 중요한 예측 과제입니다. 머신러닝을 사용하여 회계 사기의 존재 여부를 판단하고, 이를 통해 기존의 사기 모델보다 우수한 성능을 보이는 것으로 나타났습니다.

2.5 기존의 경제적 방식의 확장

머신러닝 애플리케이션의 세 번째 패러다임은 현재의 계량경제학 도구 세트를 확장하는 데 도움이 됩니다. 대부분의 계량경제학 전략에는 예측 요소가 포함되어 있으며, 머신러닝 기법을 통해 더 정확한 예측을 할 수 있습니다. 예를 들어, 계량경제학과 머신러닝 모두에서 잘 알려진 주제인 클러스터링은 머신러닝 기법을 사용하여 계량경제학적 접근법의 기능을 향상시킬 수 있습니다.

2.6 계량경제학의 특별한 응용

치료 효과 예측은 머신러닝이 계량경제학에서 가장 두드러지게 사용되는 사례 중 하나입니다. 머신러닝은 다양한 처치의 효과를 예측하는 인과관계 머신러닝을 포함하여 계량경제학의 기존 도구 세트를 풍부하게 하는 여러 고유한 용도로 사용될 수 있습니다. 이러한 응용 프로그램은 경제 이론의 완전성 지표를 개발하는 목표에 다가갈 수 있는 기회를 제공합니다.

불균형 데이터 문제는 계량경제학과 머신러닝 모두에서 새롭게 대두되는 문제입니다. 예를 들어, 대출 실적 데이터에서 법정 채무 불이행 사례는 일반적인 상환 사례보다 훨씬 드뭅니다. 이러한 문제에 대한 해결책을 찾기 위해, 머신러닝과 전통적인 계량경제학적 접근법을 결합할 필요가 있습니다.

머신러닝을 사용하여 실제 데이터에 더 가까운 시뮬레이션 데이터를 생성하는 것은 계량경제학 추정기의 성능을 비교하는 데 유용한 방법입니다. 이러한 접근 방식은 머신러닝이 경제 이론의 예측 오차와 비교하여 어떤 이점을 제공하는지를 평가하는 데 도움이 될 수 있습니다.

2.7 금융 부문의 미래 전망

머신러닝은 이미 금융 분야에 부분적으로 도입되었으나, 그 적용 사례는 아직 초기 단계에 머물러 있습니다. 머신러닝 기법이 금융 분야에서 널리 활용될지 여부는 아직 불확실합니다. 잠재적인 머신러닝 사용자는 이러한 기술이 주요 학술 저널이나 전문 학술지에만 게재될 수 있는지 여부를 파악해야 합니다. 또한, 금융 분야의 연구 주제가 다양하고, 머신러닝 애플리케이션의 범주가 광범위하기 때문에, 어떤 머신러닝 애플리케이션이 금융 연구에서 가장 유망한지 정확히 파악하기 어렵습니다.

이 복잡한 상황을 해결하기 위해, 최신 금융 문헌에서 머신러닝 접근법을 종합적으로 검토하여 이 문제에 대한 해답을 제시합니다. 이러한 해답은 이전 섹션의 통찰력을 바탕으로 합니다. 특히, 논문 출판의 성공 여부와 연구 주제 및 실무 유형에 따라 성공이 어떻게 달라지는지를 분석합니다. 이 결과는 금융 분야에서 머신러닝의 미래 가능성을 보여주는 동시에, 학계에서 머신러닝의 잠재력을 극대화하기 위한 방향성을 제시합니다.

2.8 금융 부문에서 머신러닝의 잠재력

은행 분야에서 머신러닝 애플리케이션의 미래 잠재력을 탐색하기 위해, 현재 사용 가능한 머신러닝 애플리케이션이 게재된 저널을 분석합니다. 이 분석은 현장의 최신 정보를 제공합니다. 최근 머신러닝 사용량이 급증한 것을 보여주는 데이터가 있습니다. 2018년에는 '머신러닝'이라는 용어가 사용된 게시물 수가 이전 연도 대비 4배 이상 증가했습니다. 2019년에는 이 증가율이 더욱 가속화되었고, 2020년에는 머신러닝을 활용한 연구가 7배 이상, 2021년에는 약 11배 증가했습니다.

머신러닝을 활용한 금융 논문의 수가 급증함에도 불구하고, 이러한 애플리케이션이 최고 등급의 저널에 게재될 수 있는지 여부는 여전히 불투명합니다. 이는 머신러닝 애플리케이션의 미래 전환을 시사합니다.

머신러닝 관련 논문의 수는 시간이 지남에 따라 변동했으며, 이러한 변화는 저널 순위와 일정한 상관관계를 보입니다. 2017년 이전에 발표된 초기 머신러닝 애플리케이션 대부분은 B등급 저널에 실렸습니다. 그러나 2018년 이후에는 최고 등급의 저널에 머신러닝 관련 출판물이 등재되기 시작했습니다.

연구 결과, 머신러닝을 활용하는 저널의 수가 증가한 주된 이유는 각 카테고리에서 저널이 생성하는 전체 논문 수의 증가가 아니라 머신러닝을 활용한 연구의 상대적 비율이 증가했기 때문입니다. 이는 머신러닝의 미래 전망이 밝으며, 연구자들이 자신의 논문이 최고 등급의 저널에 게재될 가능성이 높다고 합리적으로 기대할 수 있음을 시사합니다.

2.8.1 금융 부문에서 머신러닝의 미래 전망

이전 섹션에서 언급했듯이, 최근 몇 년 간 세계적인 금융 저널들에서 머신러닝 애플리케이션의 사용이 급격히 증가하고 있습니다. 이제 우리는 어떤 요소들이 특정 머신러닝 애플리케이션을 다른 애플리케이션보다 더 유망하게 만드는지를 살펴볼 것입니다. 이를 위해 먼저 다양한 연구 분야와 저널 순위에 따라 머신러닝 논문이 어떻게 분포하는지를 분석할 것입니다. 그 후, 분류체계를 바탕으로 정보를 정리하고 연구의 방법론적 측면에 세 번째 차원을 추가하여 이 질문에 답할 것입니다.

일반 금융 시장(G1) 카테고리는 현재까지 머신러닝 연구의 대부분을 차지하며, 자산 가격 책정 및 관련 주제를 포함합니다. 금융 기관 및 서비스(G2, 13.6%), 금융 및 기업 지배구조(G3, 14.2%) 분야에서는 머신러닝 관련 출판물의 수가 감소했습니다. 행동 금융(G4, 0.9%)과 가계 금융(G5, 0.3%) 분야의 머신러닝 논문 비율은 매우 낮습니다. 이는 전체 금융 논문 분포와 비교하여 연구 주제에 따라 다양함을 보여줍니다.

일반 금융 시장(G1) 카테고리가 주요 금융 저널의 상위 섹션을 반영한다는 점을 고려하면, 많은 논문이 이 카테고리에 속한다는 결론을 내릴 수 있습니다. 이후 도메인별 머신러닝 요소의 분포와 비교하여, 일반 금융 시장 범주에 속할 가능성이 훨씬 높다는 것을 확인할 수 있습니다. 이는 피어슨 카이제곱 검정을 통해 모든 유의 수준에서 확인되었습니다.

전체 금융 시장 영역에서 머신러닝 논문의 비율이 높고, 금융 기관 및 서비스 분야에서는 더 높은 논문 점유율을 보입니다. 저널 등급별로 분석을 반복한 결과, 각 등급에서 질적으로 일관된 결과를 확인할 수 있었습니다.

이 연구 결과는 금융 부문에서 머신러닝의 미래 전망이 매우 밝다는 것을 시사합니다. 특히, 일반 금융 시장 분야에서 머신러닝 애플리케이션의 활용이 두드러지며, 이는 앞으로도 계속될 전망입니다. 또한, 머신러닝 연구가 최고 등급의 저널에 게재될 가능성이 높다는 점은 이 분야의 연구자들에게 매우 긍정적인 소식입니다.

2.8.1 금융 부문에서 가장 유망한 미래 전망을 제공하는 구체적인 머신러닝 애플리케이션은 무엇일까요?

이 글의 앞부분에서 언급했듯이, 최근 몇 년 동안 금융 저널에서 머신러닝 애플리케이션의 사용이 엄청나게 증가했습니다. 이제 우리는 어떤 머신러닝 애플리케이션이 특히 유망한지, 그리고 어떤 요소가 특정 애플리케이션을 다른 애플리케이션보다 더 매력적으로 만드는지 살펴볼 것입니다. 이를 위해 머신러닝 논문이 다양한 연구 분야와 저널 순위에 어떻게 분산되는지 살펴보고, 연구 분야별로 정보를 분류하며, 방법론적 목적으로 연구에 세 번째 차원을 추가할 것입니다.

일반 금융 시장(G1) 카테고리는 현재까지 머신러닝 연구의 대부분을 차지하며, 자산 가격 책정 및 관련 주제를 포함합니다. 금융 기관 및 서비스(G2, 13.6%), 금융 및 기업 지배구조(G3, 14.2%) 부문에서는 머신러닝 관련 출판물 수가 감소했습니다. 행동 금융(G4, 0.9%)과 가계 금융(G5, 0.3%) 분야에서는 머신러닝 논문의 비율이 매우 낮습니다.

이러한 분포는 주요 금융 저널의 전체 논문 분포와 비교하여 머신러닝 기사의 분포가 모든 주요 금융 저널 출판물의 분포와 유사함을 보여줍니다. 특히, "일반 금융 시장"(G1) 카테고리가 주요 금융 저널의 상위 섹션을 반영한다는 점에서 중요합니다.

이러한 분석을 통해, 머신러닝 실험이 일반 금융 시장의 범주에 속할 가능성이 다른 어떤 범주보다 높다는 것을 알 수 있습니다. 이는 통계적으로 유의미한 차이를 보여주며, 머신러닝 논문이 특히 일반 금융 시장 영역에서 높은 비율을 차지한다는 것을 의미합니다.

이러한 결과는 머신러닝을 사용하여 더 우수하고 고유한 지표를 생성하는 애플리케이션이 향후 발전 가능성이 높은 애플리케이션 유형 중 하나임을 시사합니다. 이러한 애플리케이션은 향후 몇 년 동안 인기가 높아질 것으로 예상됩니다. 현재까지 발표된 대부분의 연구에서 머신러닝이 경제 예측 문제에 사용되었지만, 새롭고 개선된 측정에 머신러닝을 사용하는 연구도 발표되었으며, 이는 주요 동료 검토 저널에서 많이 인용되고 있습니다.

2.9 요약

이 섹션에서 우리는 학계에서 머신러닝 기술을 금융 산업에 어떻게 적용할 수 있는지에 대해 집중적으로 탐구했습니다. 우리는 머신러닝 기반 가격 예측이 OLS 기반 가격 예측보다 훨씬 적은 가격 오류를 유발할 수 있다는 것을 확인했습니다. 또한, 금융 분야에서 머신러닝 애플리케이션의 분류 체계를 개발하고, 이를 통해 더 우수하고 고유한 측정 접근법 개발, 경제 예측의 오류 감소, 기존 계량경제학 도구 세트의 확장 등 다양한 맥락에서 유용하게 사용될 수 있음을 보여주었습니다.

이 섹션은 금융 업계에서 머신러닝의 잠재적인 응용 분야에 대한 인사이트를 제공하며, 머신러닝이 경제 예측, 비정형 데이터 분석, 금융 및 비즈니스 관리 문제 해결에 큰 잠재력을 가지고 있음을 보여줍니다. 특히, 행동 금융과 가계 금융 분야는 머신러닝의 미개척된 기회를 제공할 수 있습니다.

3장. 금융 분야에서 머신러닝의 최신 동향과 도전 과제

3.1 머신러닝의 시작과 전망

머신러닝과 인공지능(AI) 기술이 우리 일상에 깊숙이 자리 잡으면서, 복잡한 연구 문제를 해결하는 방법은 더 이상 오직 학계의 전유물이 아닙니다. 이제 이러한 기술은 자연스러운 진화의 결과로, 처리 속도의 기하급수적 증가와 복잡한 문제를 해결하기 위한 알고리즘의 발전 덕분에 조직들이 빅데이터를 활용해 광범위한 비즈니스 이점을 얻을 수 있는 솔루션으로 자리 잡았습니다.

금융 서비스, 은행, 보험 산업은 머신러닝과 AI 기술을 활용할 수 있는 잠재력이 매우 높은 분야 중 하나입니다. 이러한 산업은 풍부한 데이터 세트, 혁신적인 알고리즘, 그리고 독특한 접근 방식을 보유하고 있어, 머신러닝과 AI의 활용 가능성을 극대화할 수 있습니다. 이 산업들은 전 세계적으로 가장 혁신적이며 빠르게 성장하고 있는 분야입니다.

금융 분야에서는 고객 세분화, 최적의 포트폴리오 전략 설계, 금융 시장에서의 자금 세탁 및 기타 불법 활동 탐지 및 방지, 효율적인 대출 생성, 리스크 관리, 재무 및 회계 처리, 규제 요건 준수 등 다양한 애플리케이션에 머신러닝을 혁신적으로 활용하고 있습니다.

3.1.1 금융 업계에서 머신러닝 활용의 진화

금융 회사들은 시장에서의 경쟁 우위를 확보하기 위해 머신러닝 기술을 적극적으로 도입하고 있습니다. 이는 강력한 컴퓨팅 능력과 거의 무한한 데이터 저장 용량을 저렴한 비용으로 활용할 수 있기 때문입니다. 이미 몇몇 사용 사례가 실제로 적용되었으며, 다른 사용 사례들은 기존 비즈니스 및 운영 문제를 극복해야만 구현될 수 있습니다.

리스크 모델링은 인공지능과 머신러닝의 가장 중요한 응용 분야 중 하나로, 신용 위험, 시장 위험, 운영 리스크, 규제 준수, 사기 방지 등 다양한 분야에서 활용됩니다. 이러한 기술은 신용 위험 모델링, 모기지 프로그램 설계 등 데이터가 풍부한 애플리케이션에서 이미 상당한 진전을 이루었습니다.

그러나 금융 애플리케이션에서 AI/ML 모델의 수용이 느린 주된 이유 중 하나는 알고리즘에 대한 이해 부족과 '블랙박스'로 인식되는 이러한 모델의 특성 때문에 발생하는 신뢰 부족입니다. 이러한 문제를 해결하고 장기적인 경쟁 우위를 확보하기 위해서는 이러한 기술의 잠재력을 적극적으로 활용하는 것이 필수적입니다.

이 장에서는 금융 서비스 업계에서 머신러닝과 분석 모델을 통합하려고 시도할 때 직면하는 주요 과제와 문제에 대해 논의하며, 이러한 과제를 극복하기 위한 방안을 모색합니다.

포트폴리오 관리에서는 머신러닝 알고리즘을 활용하여 투자자의 목표와 선호도에 맞춰 최적의 자산 배분 전략을 설계합니다. 로봇(AI) 어드바이저는 이러한 과정을 자동화하여 개인화된 투자 솔루션을 제공하며, 시장 변화에 따라 포트폴리오를 지속적으로 조정합니다. 이는 투자자에게 더 높은 수익률과 낮은 리스크를 제공하는 데 도움이 됩니다.

알고리즘 트레이딩은 고빈도 거래와 같은 복잡한 트레이딩 전략을 자동으로 실행할 수 있는 능력 덕분에 금융 시장에서 중요한 역할을 하고 있습니다. 머신러닝은 이러한 전략을 더욱 발전시켜 시장 데이터를 실시간으로 분석하고 예측하여 트레이딩 결정을 최적화합니다.

사기 탐지 및 분석 분야에서는 머신러닝이 비정상적인 거래 패턴을 식별하고 사기성 거래를 예측하는 데 사용됩니다. 이는 금융 기관이 사기를 더 효과적으로 방지하고 고객의 자산을 보호하는 데 도움이 됩니다.

대출 및 보험 분야에서는 머신러닝 모델이 고객의 신용 위험을 평가하고 보험 청구 사기를 탐지하는 데 사용됩니다. 이를 통해 금융 기관은 보다 정확한 대출 및 보험 정책 결정을 내릴 수 있으며, 리스크 관리를 개선할 수 있습니다.

금융 챗봇은 고객 서비스를 자동화하고 개선하는 데 사용되며,

고객의 질문에 실시간으로 응답하고, 금융 상품을 추천하며, 간단한 거래를 처리할 수 있습니다. 이는 금융 기관이 고객 경험을 향상시키고 운영 효율성을 높이는 데 기여합니다.

리스크 관리에서는 머신러닝이 금융 기관이 직면한 다양한 리스크를 식별하고 평가하는 데 사용됩니다. 이를 통해 기관은 리스크를 더 효과적으로 관리하고 잠재적 손실을 최소화할 수 있습니다.

자산 가격 예측과 파생상품 가격 책정에서는 머신러닝 모델이 시장 데이터를 분석하여 미래의 가격 변동을 예측하고, 복잡한 파생상품의 가격을 결정하는 데 사용됩니다. 이는 투자자와 금융 기관이 보다 정확한 투자 결정을 내리는 데 도움이 됩니다.

자금 세탁 탐지에서는 머신러닝이 금융 거래 데이터를 분석하여 의심스러운 활동을 식별하고, 자금 세탁과 관련된 위험을 평가하는 데 사용됩니다. 이는 금융 기관이 규제 요건을 준수하고 범죄 활동을 방지하는 데 중요한 역할을 합니다.

이처럼 머신러닝과 인공지능 기술은 금융 분야에서 다양한 방식으로 활용되고 있으며, 이러한 기술의 발전은 금융 서비스의 효율성, 정확성 및 안전성을 크게 향상시킬 잠재력을 가지고 있습니다. 그러나 이러한 기술을 효과적으로 활용하기 위해서는 알고리즘에 대한 이해를 높이고, 모델의 투명성을 개선하며, 데이터 보호 및 개인정보 보호에 대한 우려를 해결하는 등의 도전 과제를 극복해야 합니다.

3.2 금융 분야의 진화하는 IT 패러다임

금융 전문가를 비롯한 모든 분야의 데이터과학자와 엔지니어는 이제 머신러닝, 데이터 과학, 계산 공학의 새로운 기술, 기법 및 프레임워크를 널리 활용할 수 있습니다. 이는 모든 산업에 걸쳐 적용됩니다. 아래는 몇 가지 예시입니다.

가상 에이전트: 머신러닝을 통한 패러다임 변화로 인해, 점점 더 많은 에이전트가 다양한 업무에 활용될 것입니다. 이러한 에이전트는 정책, 정의된 절차 및 규정을 적용하여 복잡한 데이터 마이닝 작업을 수행할 수 있으며, 제기된 질문에 자동으로 응답할

수도 있습니다.

인지 로봇공학: 인지 영역에서 작업을 수행할 수 있는 로봇은 현재 인간이 수행하는 다양한 작업을 자동화할 수 있는 잠재력을 가지고 있습니다. 이러한 자동화 수준은 더 높은 속도와 정확성을 가진 업무 실행을 가능하게 합니다.

텍스트 분석: 복잡한 재무 문서 및 계약서 분석에 고급 자연어 처리 알고리즘, 프레임워크 및 모델을 적용하면 관련 데이터의 추출을 최소화하면서 빠르고 정확한 처리 및 의사 결정을 내릴 수 있습니다.

비디오 분석: 하드웨어 기능의 기하급수적 성장과 컴퓨터 비전, 이미지 처리, 음성 처리 및 음성 인식의 발전으로 금융 부문에서 모델 호환성, 테스트 및 검증에 대한 유망한 발전이 이루어지고 있습니다.

3.3 모델링 기법의 상승 추세

금융 업계의 창의적인 애플리케이션에서 머신러닝 모델의 중요성이 커짐에 따라 특정 모델링 및 계산 패러다임이 더 많이 수용되고 업계에서 더 폭넓게 자리 잡게 될 것입니다. 그 중 일부는 아래 예시에 나와 있습니다.

희소성 인식 학습: 최근 희소성 인식 학습이라는 새로운 형태의 대체 모델 정규화 방식이 등장했습니다. 이 접근 방식은 머신러닝 분야에서 흔히 발생하는 다양한 문제를 해결하기 위해 개발되었습니다. 모델 파라미터 추정 문제를 해결하고 과적합을 피하기 위해 반복적 접근 방식을 사용하는 기법과 프레임워크를 개발하는 데 많은 시간과 노력이 필요했습니다. 희소성에 민감한 학습 알고리즘을 금융 모델링 애플리케이션에 적용하면 매우 우수한 성능을 발휘하여 다양한 금융 애플리케이션에서 매우 강력하고 정확한 모델을 제공합니다. 이는 모델이 실수를 통해 학습할 수 있기 때문입니다.

커널 힐버트 공간의 곱셈: RKHS는 '커널 힐버트 공간의 곱셈'의 줄임말로, 힐버트 공간을 기초로 하여 선형 공간에서 연속 함수를 평가하는 함수를 말합니다. RKHS의 각 함수 표현은 관련 위험과 함께 경험적 함수의 최소화를 나타내며, 커널 함수에 의해 변환된 훈련 세트의 데이터 포인트의 선형 조합으로 표현되기 때문에 통계 학습에서 중요한 응용 분야를 찾을 수 있습니다. 그 결과, RKHS는 금융 산업 내 리스크 모델링 및 평가 분야에서 아직 실현되지 않은 상당한 잠재력을 보유하고 있습니다.

몬테카를로 시뮬레이션: 이 모델링 방법을 사용할 때 데이터과학자는 다양한 가능한 결과와 사용 가능한 다양한 대안에 대한 응답으로 이러한 결과가 발생할 확률을 파악할 수 있습니다. 이는 모델링 프로세스를 단순화하기 위해 수행됩니다. 연구 개발, 금융, 에너지, 연구 및 프로젝트 모니터링, 연구 및 보험 등 다양한 산업 분야에서 활용되고 있습니다. 확률 분포라고도 하는 일련의 값에 본질적으로 불확실한 값을 대입하여 가능한 영향에 대한 모델을 구축함으로써 위험 분석을 수행합니다. 즉, 내재적 불확실성을 확률 분포로 변환하는 것입니다. 즉, 구성 요소의 고유한 예측 불가능성을 고려하여 발생할 수 있는 다양한 가능성의 집합으로 제시합니다. 예측 불가능성에 대처할 수 있는 능력 덕분에 이 방법은 최근 몇 년간 재무 모델링에서 상당한 발전을 이루었습니다.

그래프 이론: 다변량 재무 데이터를 모델링하는 것은 어려울 뿐만 아니라 데이터 처리 및 시각화에 상당한 장벽을 조성하여 보다 효율적인 데이터 분석을 방해합니다. 그래프 이론은 데이터과학자가 다변량 재무 데이터를 보다 우아하고 생산적이며 이해하기 쉬운 방식으로 처리할 수 있는 기능을 제공합니다.

입자 필터링: 비선형 및 비 가우시안 시스템을 정확하게 식별할 수 있는 방법입니다. 이 방법으로 얻을 수 있는 정확도는 상당히 높습니다. 멀티모달 데이터를 처리할 수 있기 때문에 은행을 포함한 다양한 산업에서 가장 효율적이고 널리 사용되는 모델링 시스템 중 하나가 되었습니다. 그 주된 이유는 멀티모달 데이터를 처리할 수 있기 때문입니다. 가장 간단한 형태의 입자 필터링은 모집단의 어떤 분포가 가장 변화가 적은지 결정하는 방법입니다. 이는 모집단에서 가장 큰 구성원을 식별하여 수행할 수 있습니다. 먼저 모든 경우를 포함하는 무작위 샘플 모음을 선택한 다음 함수의 적분 연산으로 샘플 평균을 대체하여 원래 분포에 가장 잘 맞는 PDF를 생성하면 됩니다. 이렇게 하면 초기 분포와 가장 잘 일치하는 확률 밀도 함수가 생성됩니다. 즉, 이 방

법은 크기와 위치 측면에서 더 큰 모집단의 분포를 결정합니다.

학습 매개변수와 볼록 경로: 최적화 방법은 수백만 개의 매개변수가 있는 대규모 심층 신경망을 훈련하는 과정에서 매우 성공적인 것으로 나타났지만, 네트워크가 적절하게 훈련되도록 하기 위해서는 이러한 방법의 정규화가 필수적이 되었습니다. 이 때문에 알고리즘이 달성한 최적의 목적 함수 값과 관련된 왜곡을 파악하기 위해 포괄적인 연구가 수행되었습니다. 데이터과학자는 이러한 오차를 추정하여 재무 모델링과 같은 중요한 애플리케이션에서 모델이 얼마나 신뢰할 수 있는지 파악할 수 있습니다.

딥러닝과 강화 학습: 금융 부문에서 머신러닝을 적용하는 사례의 상당 부분은 심층 신경망의 아키텍처와 이러한 네트워크를 최적화하고 훈련하기 위해 개발된 알고리즘을 기반으로 하는 모델 형태를 취하고 있습니다. 머신러닝을 구현할 때 압도적인 대다수의 사례에서 이러한 방식이 적용되고 있는 것으로 입증되었습니다. 이전에는 상상할 수 없었던 이러한 모델 개발 프로세스를 강화 학습 기반 모델 덕분에 처음으로 자동화할 수 있게 되었습니다. 딥러닝과 강화학습을 위한 프레임워크는 알고리즘 트레이

딩, 주식 평가, 주가 예측, 자산 관리 등 다양한 애플리케이션을 성공적으로 구축하고 운영할 수 있게 해줍니다. 이는 이 포괄적인 용어로 분류될 수 있는 다양한 종류의 소프트웨어 중 몇 가지 예에 불과합니다.

3.3.1 금융 모델링 업계의 새로운 도전

인공지능(AI)과 머신러닝 기반 애플리케이션은 금융 분야에 엄청난 잠재력과 이점을 가져다줄 수 있음에도 불구하고, 우선적으로 해결해야 할 여러 가지 도전과제와 병목 현상이 존재합니다. 본 섹션에서는 이러한 도전과제들에 대해 자세히 설명합니다.

데이터 도전: 금융 업계에서의 시계열 데이터(예: 주가)는 종종 작은 규모로 존재해 데이터 집약적인 머신러닝 및 딥러닝 모델을 구축하는 데 어려움이 있습니다. 이는 방대한 양의 데이터를 보유하고 있음에도 발생하는 문제입니다. 시계열 데이터가 제한적일 때 구축되는 모델은 종종 부적절하게 형성되어 제대로 작동하지 않는 결과를 초래합니다. 컴퓨터 비전 및 이미지 처리 분야에서 이미지를 합성할 수 있는 것과 달리, 금융 분야에서는

금융 데이터로 같은 작업을 수행할 수 없습니다. 금융 데이터는 실제 세계에서 발생할 때까지 모델 학습과 검증에 사용하기 위해 기다려야 하며, 실제 금융 데이터의 시뮬레이션은 불가능합니다.

세 번째 도전은 빈도가 높은 트랜잭션 데이터에서 발생하는 상당한 양의 노이즈입니다. 노이즈가 많은 데이터로 학습된 모델은 근본적으로 결함이 있을 수 있습니다. 고빈도 금융 데이터는 특히 높은 수준의 노이즈와 연관됩니다.

데이터의 축적은 네 번째 도전입니다. 대부분의 데이터 범주와 달리, 금융 시장과 함께 발전하고 변화하는 금융 데이터의 특성은 지속적으로 변화합니다. 이는 금융 시장의 유동적인 성격 때문입니다. 다양한 금융 변수의 의미는 수년에 걸쳐 변화하며, 이에 따라 머신러닝 모델이 일관된 설명을 유추하고 학습하는 것은 매우 어렵습니다.

블랙박스 모델의 특성: 머신러닝과 인공지능 모델은 그 본성상 "블랙박스"로 알려져 있습니다. 주요 한계는 시뮬레이션 결과를 적절히 설명할 수 없다는 것입니다. 중요한 금융 애플리케이션에서는 결과를 논리적 근거로 이해할 수 있어야 합니다. 머신러닝 모델이 이러한 설명 기능을 갖추지 못하면, 그 적용 가능성을 높이는 과정이 복잡해집니다.

모델 검증 도전: 머신러닝 모델은 복잡성과 운영상의 불투명성으로 인해 검증 및 위험 관리 과제에 직면해 있습니다. 모델이 예상대로 구축되었더라도 실패할 수 있으며, 잘못된 모델 생성 또는 부적절한 이해로 인한 실패가 발생할 수 있습니다.

모델 테스트 및 결과 분석의 어려움: 모델의 효과는 결과 분석을 통해 결정됩니다. 신경망 모델은 데이터를 과대 적합화하거나 과소 적합화하는 경향이 있으므로, 모델을 평가하는 과정에서 편향성과 변이성 사이의 균형을 고려하는 것이 중요합니다. 기존의 K-크로스 검증 기법은 머신러닝 모델 검증에 항상 효과적이지 않습니다. 따라서 모델 학습 및 검증 전에 표준화 및 특성 선택에 특별히 주의를 기울여야 합니다.

결론적으로, 금융 빅데이터와 머신러닝 기술의 결합은 매우 유망하지만, 성공적인 구현을 위해서는 다양한 도전과제를 극복해야 합니다. 이러한 도전을 이해하고 해결하는 것은 금융 업계에서 머신러닝의 잠재력을 최대한 발휘하는 열쇠입니다.

공급업체가 만든 모델의 문제점: 공급업체가 제공하는 모델은 표준 SR 11-7 및 OCC 2011-12에 명시된 기준을 충족해야 합니다. 이는 공급업체의 모델도 내부에서 개발한 모델과 같은 엄격한 기준을 따라야 함을 의미합니다. 하지만, 독점 시스템으로 인한 제약 때문에 실제로 공급업체 모델을 검증하는 것은 어려울 수 있습니다. 이로 인해 금융 기관은 덜 엄격한 형태의 인증에 의존할 수밖에 없는 상황이 발생합니다. 모델의 성능, 개념적 일관성, 적용 가능성, 개발 프로세스, 그리고 애플리케이션 포트폴리오 내에서의 타당성을 철저히 평가하는 것이 포함됩니다. 그러나 인증 절차가 엄격하지 않을 가능성도 있습니다.

3.4 새로운 위험, 새로운 옵션 및 최신 관행

머신러닝 모델의 복잡성은 금융을 포함한 모든 산업에서 주요 위험 요소입니다. 머신러닝 알고리즘은 대량의 정형 및 비정형 데이터를 처리하기 때문에 복잡합니다. 이러한 복잡성은 알고리즘을 학습하는 데 많은 시간과 노력이 필요함을 의미합니다. 지나치게 복잡한 모델을 구축하려는 시도는 종종 실패로 이어질 수 있습니다. 따라서 금융 기관은 복잡한 전략을 채택하기보다는 기본적인 모델 검증 기법을 적용해야 합니다.

금융 업계에서의 머신러닝 모델 리스크 관리

- 모델의 해석 가능성(Model Interpretability): 머신러닝 모델은 본질적으로 '블랙박스'이기 때문에, 금융 기관은 모델이 적합한 위험 수준을 기반으로 필요한 해석 가능성 수준을 결정해야 합니다.

- 패턴 왜곡(Pattern Distortion)

- 확장된 기능 설계(Extended Feature Design)

- 모델 하이퍼파라미터의 중요성(Model Hyperparameters Importance)

- 모델 제작 준비(Preparation for Model Fabrication)

- 전자 모델의 동적 보정(Dynamic Calibration of Electronic Models)

- 설명 가능한 인공 지능(Explainable AI)

이러한 문제들은 금융 업계에서 머신러닝 모델을 사용할 때 고려해야 할 중요한 과제들입니다. 이러한 문제들은 아래에서 짧게 논의해보겠습니다.

모델 해석 가능성: 모든 머신러닝 모델은 본질적으로 블랙박스와 같기 때문에 은행 및 기타 금융 기관은 해당 모델이 적합한 부실 상황과 관련된 위험 수준에 따라 필요한 수준의 해석 가능성을 선택해야 합니다. 모든 머신러닝 모델이 불투명하다는 현실을 고려할 때, 이러한 판단은 이러한 사실에 비추어 이루어져야 합니다. 특정 사용 사례의 경우 모델 작동 방식에 대한 매우 포괄적이고 개방적인 설명이 필요함에도 불구하고 일부 사용 사례에 대한 요구 사항이 다른 사용 사례에 비해 엄격하지 않을 수 있

습니다. 예를 들어, 고객에게 은행 대출을 제공하려는 경우, 은행이 대출을 거부할 경우 설득력 있게 방어할 수 있도록 머신러닝을 활용하는 모델이 필요할 수 있습니다. 이는 금융 기관에서 신용 신청이 거부되는 경우에 필요할 수 있습니다. 반면에 고객의 스마트폰에 설치된 모바일 앱으로 전송되는 상품 추천은 은행 업무에 대한 리스크를 최소화하는 추가 사용 사례의 예입니다. 이 시나리오에서 고객은 모델이 해당 추천을 생성한 이유를 이해하지 못할 수 있습니다. 이러한 사용 사례의 한 가지 예는 소비자의 모바일 장치에 다운로드된 모바일 앱으로 상품 제안이 전송되는 경우입니다.

모델 유효성 검사 프로세스는 모델이 정책과 목적에 부합하는지 확인하는 테스트를 포함해야 합니다. 선형 회귀 모델에서는 설명 변수에 할당된 계수가 목표 변수에 대한 각각의 영향을 보여줍니다. 앙상블 모델, 예를 들어 랜덤 포레스트(Random Forest)와 그라디언트 부스팅(Gradient Boosting)은 반복적인 방식으로 작동하여 설명 변수의 변화가 목표 변수에 미치는 영향을 보여줍니다. 이러한 접근 방식은 모델의 예측에 대한 이해를 높이는 데 도움이 됩니다.

앙상블 모델의 이해와 적용: 앙상블 모델, 특히 랜덤 포레스트(Random Forest)와 그래디언트 부스팅(Gradient Boosting)과 같은 기법은 순차적으로가 아닌 반복적인 방식으로 작동합니다. 이러한 모델에서는 설명 변수(Feature)의 값에 제약을 가함으로써, 해당 변수가 목표 변수(Target Variable)에 미치는 영향을 조절할 수 있습니다. 즉, 설명 변수에 적용된 제약의 방향에 따라 목표 변수의 값이 변화합니다. 이 과정을 통해 모델이 목표 변수를 예측하는 데 있어 설명 변수의 기여도를 보다 명확하게 파악할 수 있습니다.

복잡한 모델의 해석 방법: 심층 신경망(Deep Neural Networks)과 같은 복잡한 모델의 해석을 위해 샤플리 부가적 설명(SHAP: Shapley Additive exPlanations)과 로컬 해석 가능한 모델-불가지론적 설명(LIME: Local Interpretable Model-agnostic Explanations)과 같은 방법이 사용됩니다. 이러한 방법들은 모델의 예측에 대한 글로벌 또는 로컬 수준에서의 해석을 가능하게 하며, 모델이 선형적이거나 반복적인 발전을 따르지 않는 경우에도 적용될 수 있습니다.

모델 편향의 유형과 대응 방안: 머신러닝 모델에서 발생할 수 있는 편향에는 다음과 같은 네 가지 주요 유형이 있습니다:

- 샘플링 편향(Sampling Bias): 데이터 수집 과정에서 특정 그룹이 과대표되거나 과소표되는 경우 발생합니다.

- 측정 편향(Measurement Bias): 데이터 측정 과정에서 발생하는 오류로 인해 모델의 예측에 영향을 줍니다.

- 알고리즘 편향(Algorithm Bias): 모델 설계 과정에서의 선택이나 가정으로 인해 발생합니다.

- 집단 편향(Group Bias): 특정 집단에 대한 데이터가 모델에 의해 불공정하게 처리되는 경우입니다.

이러한 편향을 극복하기 위한 전략으로는 피처 엔지니어링(Feature Engineering)과 모델 구축 과정에서의 다양한 접근 방식이 있습니다. 또한, 다양한 시나리오에서 모델을 검증하고 필요한 경우 수정하는 과정이 중요합니다.

피처 엔지니어링의 중요성: 머신러닝 및 딥러닝 모델에서 피처 엔지니어링은 모델의 성능을 결정하는 중요한 요소입니다. 특히, 비정형 데이터를 다룰 때 전처리 과정에서 선택할 수 있는 특성의 수가 많아지며, 이는 모델링의 복잡성을 증가시킵니다. AutoML과 같은 도구를 사용하여 피처를 자동으로 생성하고 선택하는 과정은 모델의 데이터 매칭 능력을 향상시키지만, 동시에 모델의 복잡성을 증가시킬 수 있습니다.

금융 기관은 상업적 및 운영상의 위험을 완화하기 위해 견고한 모델 구축과 피처 엔지니어링 전략을 수립해야 합니다. 고위험 및 중요 애플리케이션에서는 모델의 모든 부분을 신중하게 평가하고 사용해야 합니다. 반면, 저위험 애플리케이션에서는 안정적인 데이터 복구 단계를 포함하는 피처 엔지니어링 프로세스의 철저한 검토가 충분할 수 있습니다.

모델 하이퍼파라미터(Hyperparameters): 머신러닝 모델을 구축할 때, 각 알고리즘은 모델이 학습 과정에서 자동으로 조정하지 않는, 사전에 설정해야 하는 고유한 매개변수 집합, 즉 하이퍼파라미터를 가집니다. 예를 들어, 딥러닝 모델에서는 숨겨진 층(hidden layers)의 수나, 랜덤 포리스트(Random Forest)에서는 의사 결정 트리(decision trees)의 깊이(tree depth)와 같은 아키텍처의 특정 특성을 사전에 결정해야 합니다. 하이퍼파라미터 설정 방법으로는 시행착오, 그리드 검색(grid search) 등의 방법이 일반적으로 사용됩니다. 이러한 과정은 모델의 성능에 큰 영향을 미치므로, 이상적인 하이퍼파라미터 값을 찾는 것은 매우 중요합니다.

모델 구축 준비(Preparation for Model Building): 머신러닝 모델은 복잡한 계산 과정을 필요로 하는 알고리즘을 사용하여 구축됩니다. 이와 대조적으로, 통계 모델은 일련의 규칙과 절차를 통해 개발되며, 이는 수학적 모델 구축 방식과는 다릅니다. 많은 경우, 모델을 구축하는 사람들은 모델의 복잡성을 제조 프로세스가 처리할 수 있는지 여부를 고려하지 않는 경향이 있습니다. 이는 특히 금융 거래에서 사기를 탐지하기 위해 개발된 복잡한 딥러닝 모델에서 문제가 될 수 있습니다. 모델이 프로덕션 환경에서 처리할 수 있는 데이터의 양을 정확히 평가하는 것이 중요합니다.

동적 모델 보정(Dynamic Model Calibration): 실시간으로 매개변수를 조정하여 데이터에서 발견된 반복되는 패턴을 설명할 수 있는 적응형 머신러닝 모델이 있습니다. 이러한 유연한 머신러닝 모델은 특히 강화 학습(Reinforcement Learning) 과정을 통해 개발될 수 있습니다. 이 모델들은 스스로 학습할 수 있는 능력이 큰 장점이지만, 동시에 새로운 종류의 위험을 수반합니다. 모델을 동적으로 재보정하는 과정은 재무 모델링 프로세스에 추가적인 복잡성을 도입합니다.

동적 재보정의 적용: 동적 재보정은 알고리즘 트레이딩, 신용 점수 평가 등 다양한 애플리케이션에 맞게 조정되어야 합니다. 데이터과학자는 모델이 설계된 목적을 달성할 수 있도록 동적 재보정을 평가하는 데 도움이 되는 지침을 포함하는 포괄적인 검증 절차를 따라야 합니다. 이는 모델의 성능을 기반으로 한 임계값 설정과 같은 어려운 작업을 포함할 수 있으며, 이는 모델이 실제 환경에서 예상대로 작동하는지 확인하는 데 필수적입니다.

설명 가능한 인공지능(Explainable Artificial Intelligence, XAI): 설명 가능한 인공지능(XAI)은 인공지능(AI)의 한 분야로, AI 모델의 결정 과정을 이해하고 설명할 수 있는 기술을 말합니다. XAI는 복잡한 AI 모델이 내린 결정의 근거를 분석하고, 이를 사람이 이해할 수 있는 형태로 제공하는 데 중점을 둡니다. 이를 통해, 예측 모델이 사용하는 입력 변수(설명 변수)의 값을 조정하여 원하는 결과(목표 변수)를 얻을 수 있습니다. XAI의 도입으로 복잡한 모델의 학습 방식을 단순하고 명확하게 이해할 수 있게 되며, 이는 금융 분야뿐만 아니라 다양한 산업에서의 적용 가능성을 열어줍니다.

3.4.1 예측 모델 - 양적 금융의 인공 지능

양적 금융 분야에서 인공지능(AI), 특히 머신러닝(ML)과 딥러닝(DL)은 중요한 역할을 하고 있습니다. 은행, 자산 운용사, 연기금, 주식 거래 회사 등 다양한 금융 기관이 이 기술들을 활용하여 투자 전략을 개선하고, 데이터 분석을 통해 새로운 인사이트를 얻으며, 경쟁 우위를 확보하고 있습니다. ML, DL, 강화학습

(RL) 등은 모두 AI의 하위 분야로, 분류, 회귀, 클러스터링 등 다양한 금융 문제를 해결하는 데 사용됩니다.

머신러닝 모델의 '블랙박스' 문제: 머신러닝, 특히 심층 신경망은 때때로 '블랙박스'로 묘사됩니다. 이는 모델 내부에서 일어나는 복잡한 계산 과정을 완전히 이해하기 어렵기 때문입니다. 이러한 모델은 수백만 개의 매개변수를 포함할 수 있으며, 이 매개변수들이 어떻게 상호작용하여 최종 결정을 내리는지 명확히 파악하기 어렵습니다. 설명 가능한 AI(XAI)는 이러한 '블랙박스' 모델의 결정 과정을 해석하고 설명하는 데 도움을 줄 수 있습니다.

퀀트 금융에서의 머신러닝 적용: 퀀트 금융은 수학적 및 통계적 방법을 사용하여 금융 데이터를 분석하는 분야입니다. 최근에는 머신러닝 기술을 활용하여 보다 정확한 예측을 제공하고, 재무 모델의 성능을 개선하는 방향으로 발전하고 있습니다. 머신러닝 알고리즘은 대량의 데이터에서 복잡한 패턴과 추세를 식별하는 데 탁월한 능력을 보여주며, 이는 트레이딩 전략 개발 및 위험 관리에 큰 도움이 됩니다.

다음은 퀀트 금융에서 볼 수 있는 머신러닝 응용의 예시 목록입니다.

알고리즘 트레이딩(Algorithmic Trading)

알고리즘 트레이딩은 대량의 금융 데이터를 자동으로 분석하고, 알고리즘의 예측에 따라 거래를 자동으로 실행하는 트레이딩 기법입니다. 고빈도 트레이딩(High-Frequency Trading, HFT)은 이러한 방식의 트레이딩 중 하나로, 매우 짧은 시간 내에 대량의 거래를 실행합니다.

리스크 관리(Risk Management)

머신러닝을 활용하면 금융 산업에서 발생할 수 있는 잠재적인 위험 요소를 효과적으로 식별하고 관리할 수 있습니다. 이는 금융 기관이 리스크를 더 잘 이해하고 대응할 수 있게 해줍니다.

포트폴리오 최적화(Portfolio Optimization)

머신러닝 기술을 이용해 변동성, 위험, 수익률 등 다양한 요소를 고려하여 최적의 자산 조합을 선정할 수 있습니다. 이는 투자 포트폴리오의 성능을 극대화하는 데 도움이 됩니다.

예측(Prediction)

과거의 금융 데이터를 분석하여 미래의 시장 패턴이나 환율 변동 등을 예측하는 데 머신러닝이 활용됩니다. 이는 투자 결정을 내리는 데 중요한 정보를 제공합니다.

감정 분석(Sentiment Analysis)

머신러닝은 소셜 미디어와 뉴스 기사를 분석하여 사람들의 감정이나 의견을 파악하는 데 사용될 수 있습니다. 이는 특정 회사나 제품에 대한 대중의 인식을 이해하는 데 유용합니다.

전통적인 금융(Traditional Finance)

머신러닝 모델은 기존의 금융 모델과 결합하여 예측의 정확도를 향상시킬 수 있습니다. 그러나 모든 문제에 대해 모든 머신러닝 모델이 적합한 것은 아니며, 문제의 성격과 사용 가능한 데이터에 따라 적절한 모델을 선택해야 합니다.

퀀트 금융에서의 인공지능 활용

주가 예측: 과거 데이터를 기반으로 회사의 주식이나 다른 금융

자산의 미래 가치를 예측하는 데 인공지능이 사용됩니다. 이는 투자자에게 재정적 이익을 가져다줄 수 있는 중요한 도구입니다. 분류 활동: 머신러닝 알고리즘은 주식 시장의 움직임을 예측하고, 주식의 가치가 상승할지 하락할지를 분류하는 데 사용됩니다. 이 과정은 상당한 시간과 노력을 요구하며, 다양한 인간의 심리적, 행동적 요소에 의해 영향을 받을 수 있습니다.

장단기 메모리(LSTM)

순환 신경망(RNN, Recurrent Neural Network)은 시간에 따라 발생하는 데이터의 패턴을 학습하는 데 주로 사용되지만, 기울기 소실(Gradient Vanishing) 또는 기울기 폭발(Gradient Exploding)이라는 문제를 겪을 수 있습니다. 이러한 문제를 해결하기 위해 개발된 RNN의 한 변형이 바로 장기 단기 기억(LSTM, Long Short-Term Memory)입니다. LSTM은 각각 세 개의 게이트를 가진 반복적인 패턴의 메모리 모듈 체인으로 구성되어 있으며, 이를 통해 정보를 오랜 시간 동안 유지할 수 있는 능력을 갖추고 있습니다.

- **LSTM의 장점**

  ✓ 복잡한 데이터 관계를 분석하고 학습을 촉진하여 숨겨진 패턴을 발견하고 정확한 예측을 할 수 있습니다.

  ✓ 장기간에 걸쳐 정보를 기억하는 능력이 뛰어납니다.

- **LSTM의 단점**

  ✓ 구조가 복잡하여 계산 비용이 높고, 메모리 셀의 수와 가중치 필드의 크기가 성능에 영향을 미칩니다.

  ✓ 메모리를 읽거나 쓸 때의 인덱싱이 복잡할 수 있습니다.

3.4.2 합성곱 신경망(CNN, Convolutional Neural Network)

CNN은 인공 신경망(ANN, Artificial Neural Network)의 한 종류로, 주로 이미지 인식과 처리에 사용됩니다. 이는 생물학적 시각 피질의 구조에서 영감을 받아 설계되었으며, 정보를 단방향으로 처리합니다. CNN은 입력층, 여러 합성곱층(Convolutional Layer), 풀링층(Pooling Layer), 그리고 완전 연결층(Fully Connected Layer)으로 구성됩니다.

- CNN의 장점
  - ✓ 기존 분류 알고리즘에 비해 전처리가 적게 필요하며, 새로운 특성과 필터를 학습할 수 있습니다.

- CNN의 단점
  - ✓ 효과적인 학습을 위해 대량의 데이터가 필요합니다.
  - ✓ Max Pooling과 같은 기술로 인해 처리 시간이 길어질 수 있습니다.

3.5 머신러닝의 금융 애플리케이션

머신러닝은 금융 분야에서 다양한 애플리케이션을 가지고 있으며, 여기에는 알고리즘 트레이딩과 포트폴리오 관리, 로보 어드바이저 등이 포함됩니다.

알고리즘 트레이딩

알고리즘 트레이딩은 컴퓨터 알고리즘을 사용하여 자동으로 매매 결정을 내리는 시스템입니다. 이는 시장 데이터를 실시간으로 분석하여 복잡한 전략을 적용하고, 시장 움직임에 대한 깊은 통찰력을 제공합니다.

포트폴리오 관리 및 로봇(AI) 어드바이저

자산 관리 회사는 고객의 목표와 위험 선호도에 맞춰 투자 포트폴리오를 최적화하는 데 머신러닝 기술을 활용합니다. 로봇 어드바이저는 개인의 재무 목표와 현재 상황을 바탕으로 자동화된 금융 조언을 제공합니다.

이러한 금융 애플리케이션은 머신러닝의 발전과 함께 점점 더 정교해지고 있으며, 이 책에서는 이와 관련된 다양한 사례 연구를 통해 심도 있는 분석을 제공합니다.

• 사기 탐지

금융 업계에서 머신러닝의 활용은 점점 증가하고 있으며, 특히 사기 탐지 분야에서 그 중요성이 부각되고 있습니다. 처리 능력의 향상과 인터넷 사용의 확대, 기업 데이터의 온라인 저장량 증가로 인해 데이터 보안 문제가 심각해지고 있습니다. 과거 금융 사기 탐지 시스템은 복잡한 규칙에 의존했으나, 현대의 시스템은 지속적인 학습과 적응을 통해 새로운 보안 문제에 대응합니다. 머신러닝은 방대한 데이터를 신속하게 분석하고 비정상적인 행동을 탐지하여 사기 거래를 예방하는 데 중요한 역할을 합니다.

• **신용/신용 카드/보험 가입**

금융 분야에서 머신러닝은 언더라이팅 과정을 혁신하고 있습니다. 일부는 이로 인해 많은 보험 관련 직업이 사라질 것이라 우려합니다. 대규모 조직에서 사용되는 머신러닝 알고리즘은 수백만 건의 소비자 데이터와 금융 결과를 학습하여, 예를 들어 대출이나 모기지의 채무 불이행 여부를 예측할 수 있습니다. 이 알고리즘은 반복되는 패턴을 찾아내어 향후 인수 및 대출 결정에 중요한 정보를 제공합니다.

• **자동화 및 챗봇**

금융 산업은 로봇 프로세스 자동화(RPA)에 매우 적합합니다. 반복적이고 가치가 낮은 작업에서 벗어나 중요한 업무에 집중할 수 있게 해줍니다. ML/AI와 같은 자동화 기술은 재무팀이 필요한 데이터에 쉽게 접근하고, 규정 준수 및 시행에 대한 모범 사례를 제공할 수 있도록 지원합니다. AI 및 자동화는 오류를 감지하고 수정하는 과정을 학습하여 작업 완료 시간을 단축시킵니다. AI 챗봇은 은행 및 금융 사용자에게 새로운 상호작용 방식을 제공합니다.

• **리스크 관리**

머신러닝은 리스크 관리 분야에 혁명을 일으키고 있습니다. 머신러닝 기반 솔루션은 리스크 이해 및 관리 방법을 근본적으로 변화시키고 있으며, 대출 결정, 규정 준수 개선, 모델 리스크 감소 등 다양한 분야에 영향을 미치고 있습니다.

• **자산 가격 예측**

자산의 미래 가치 예측은 금융 분야에서 가장 어려운 문제 중 하나입니다. 과거 재무 보고서와 시장 동향은 전통적으로 자산 가격 예측에 사용되었으나, 현재는 머신러닝 기법을 통해 보다 정확한 예측이 가능해지고 있습니다.

• **파생 상품 가격의 책정**

머신러닝은 파생상품 가격 책정 분야에서도 중요한 역할을 하고 있습니다. 전통적인 모델이 가진 비현실적인 가정 대신, 머신러닝 기법은 시장 가격과 관측된 데이터 사이의 관계를 보다 정확하게 모델링할 수 있습니다. 이는 파생상품 가격 책정의 정확성을 높이고 구현 시간을 단축시키는 데 기여합니다.

• **감성 분석**

감성 분석은 대량의 비정형 데이터를 분석하여 시장 심리를 파악하는 데 사용됩니다. 금융 부문에서 감성 분석은 투자자들이 시장 동향을 이해하고 예측하는 데 중요한 도구로 자리 잡고 있습니다. 머신러닝 기법을 통해 감성 분석의 정확성과 효율성이 크게 향상되고 있습니다.

• **상업적 현금화**

"매매계약"은 판매자가 구매자의 계좌로 자금을 이체하고, 구매자가 그 대가로 증권을 받는 과정을 의미합니다. 대부분의 거래는 전자적으로 처리되지만, 약 30%의 거래는 여전히 수동으로 진행됩니다. 머신러닝은 이러한 프로세스의 지연 원인을 분석하고 해결책을 제시하며, 유사한 문제의 재발 가능성을 예측할 수 있습니다. 인간이 5~10분이 소요되는 문제를 머신러닝을 통해 단 몇 분 만에 해결할 수 있습니다.

• **자금 세탁**

유엔은 자금 세탁이 전 세계 GDP의 2%에서 5%를 차지한다고 추정합니다. 머신러닝 기술은 내부 및 거래 고객 데이터를 분석하여 자금 세탁의 위험 신호를 식별할 수 있습니다.

3.6 데이터 과학, 인공 지능 및 기타 형태의 머신러닝

많은 사람들이 머신러닝, 딥러닝, 인공 지능, 데이터 과학의 정의를 명확히 이해하지 못합니다. 실제로 이들 용어는 종종 서로 결합되어 사용됩니다. 머신러닝은 컴퓨터가 대량의 데이터를 분석하고 인공 지능 프로그램을 생성할 수 있도록 하는 인공 지능의 한 분야입니다. 딥러닝은 머신러닝의 한 유형으로, 더 복잡한 문제를 해결하는 데 도움이 됩니다. 데이터 과학은 머신러닝, 딥러닝, 인공 지능을 사용하여 데이터를 분석하고 추론하는 머신러닝의 하위 분야입니다. 이러한 기술들은 빅데이터 분석 및 클라우드 컴퓨팅과 같은 다른 연구 분야와 결합됩니다.

데이터 과학, 머신러닝, 딥 러닝 및 인공 지능은 아래에서 더 세분화됩니다.

- **인공 지능**

인공 지능 연구는 인간의 지능을 모방하여 컴퓨터 프로그램과 시스템을 개발하는 데 중점을 둡니다. 이는 시각적 이해, 음성 인식, 의사 결정, 언어 처리 등 인간이 수행하는 활동을 컴퓨터가 수행하도록 하는 연구입니다.

• **머신러닝**

머신러닝은 AI 시스템이 주변 환경으로부터 자동으로 학습하고, 학습한 내용을 바탕으로 의사 결정을 개선할 수 있게 하는 기술입니다. 이는 데이터를 지속적으로 학습하고, 패턴을 식별하여 적절한 조치를 취하는 프로세스를 포함합니다.

• **딥 러닝**

딥러닝은 신경망의 계층적 구조를 연구하는 머신러닝의 하위 분야로, 인간의 뇌에서 영감을 받은 모델을 구축합니다. 이는 복잡한 문제를 해결하기 위한 합리적인 프레임워크를 제공합니다.

• **데이터 사이언스**

데이터 사이언스는 과학적 방법론, 절차, 시스템을 사용하여 데이터에서 지식이나 통찰을 도출하는 학제 간 분야입니다. 이는 머신러닝 및 인공 지능과는 다른 접근 방식을 사용하지만, 머신러닝과 많은 공통점을 가지고 있습니다.

3.6.1 강화 학습

강화 학습은 에이전트가 환경과 상호작용하며 보상을 최대화하는 방법을 학습하는 머신러닝의 한 분야입니다. 에이전트는 환경의 상태에 따라 결정을 내리고, 그에 따른 보상을 받습니다. 강화 학습의 핵심은 에이전트에게 명령을 내리는 대신 보상을 통해 원하는 행동을 유도하는 것입니다. 강화 학습 문제의 핵심 구성 요소는 다음과 같습니다:

환경: 상호작용 중인 상담원 외부의 환경입니다.

상태: 현재 에이전트에 영향을 미치는 조건입니다.

보상: 숫자 형태의 환경 피드백 신호입니다.

원칙: 에이전트의 상태를 행동과 연관시키는 프로세스입니다. 정책은 특정 상황에서 취해야 할 행동 방침을 명시합니다.

가치: 에이전트가 지정된 기준에 따라 수행했을 때 얻을 수 있는 미래의 잠재적 이익입니다.

선행 연구들에서는 Q-러닝 강화 학습 기법을 사용하여 트레이더가 가장 효과적인 동적 트레이딩 전략을 식별하도록 훈련시켰으며, 제안된 모델은 기존 전략보다 우수한 성과를 보였습니다.

3.6.2 데이터 가용성 및 구현

인터넷을 통해 사용자들은 주식 시장 예측에 활용할 수 있는 다양한 무료 리서치 데이터 소스에 접근할 수 있습니다. 첫 번째 선택지로는 Google 금융이 있으며, 이는 주가, 뉴스, 해외 시장 정보 등을 포함한 풍부한 데이터를 제공하는 널리 사용되는 금융 포털입니다. 과거 가격과 거래량 데이터를 조사할 때 야후! 금융을 활용하는 것이 유용합니다. 또한, Kaggle과 같은 데이터 경연 대회를 주최하는 웹사이트를 통해 주식 시장 예측 데이터 라이브러리를 탐색하는 것도 좋은 방법입니다. 퀀트 회사들은 이러한 웹사이트와 협력하여 주식 예측에 관한 경쟁을 조직할 수 있습니다.

3.7 과제 및 향후 방향

현재 딥 강화 학습(DRL) 기반의 양적 트레이딩(QT) 평가는 다양한 QT 시나리오에 여러 DRL 알고리즘을 적용하는 것으로 구성됩니다. 금융 데이터에 대한 더 복잡한 비선형 관계 도출(NRD) 기법의 효용성을 검토하는 것은 가까운 미래에 주목받을 연구 분야 중 하나입니다. 데이터 부족은 성공적인 DRL 기반 QT 알고리즘 개발의 주요 장애물입니다. 이 문제는 모델 기반 DRL을 사용하여 금융 시장 모델을 연구하고 병합 프로세스를 가속화함으로써 해결할 수 있습니다. 금융 위기와 같은 극단적 상황을 시뮬레이션하여 보존된 수익을 극대화하는 방법도 고려할 수 있습니다. QT의 주요 목표 중 하나는 수익 증대와 손실 최소화 사이의 균형을 찾는 것입니다.

실시간 거래 플랫폼을 사용하여 보다 포괄적인 테스트를 진행하는 것이 백 테스트나 제한된 실시간 거래보다 권장됩니다. 불확실한 시장에서 DRL의 영향에 대한 추가 연구가 필요합니다. 숙련된 데이 트레이더와 DRL 기반 브로커를 비교하는 통제된 실험을 통해 어떤 유형의 브로커가 더 성공적인지 확인할 수 있습니다.

3.8 관련 직업

2021년에 연구자인 웨이웨이 장은 66개 이상의 학술 논문을 분석하여 머신러닝이 주식 시장에 미치는 영향을 조사했습니다. 다양한 주가지수, 데이터 유형, 입력 속성, 머신러닝, 딥러닝, 강화학습 등 다양한 인공지능(AI) 기술을 검토했습니다. RL 프레임워크와 비즈니스 프로세스 간의 연결성, 마르코프 결정 프로세스의 요소, RL의 초기 접근 방식을 검토하고, QT 문헌에서 RL을 분석하는 다양한 방법을 소개합니다. 또한, 알고리즘 트레이딩 애플리케이션에서 중요한 다양한 딥러닝 기법에 대해 논의하며, DRL 기반 트레이딩이 주목받는 이유를 설명합니다.

최신 IT 도구의 개발은 주식 시장 예측을 위한 강력한 계산 도구의 사용을 포함합니다. 인공 신경망, 퍼지 논리, 유전 알고리즘 등 다양한 계산 방법을 사용하여 주식 시장 예측 분야의 최신 연구 개요를 제공합니다. Yue Deng과 동료들은 DL과 RL을 결합한 기술을 개발했으며, 이는 변화하는 시장 상황을 자동으로 감지하는 데 중요한 역할을 합니다.

이후 저자들은 강화학습(Reinforcement Learning, RL) 엔진은 익숙하지 않은 환경에서 운영하며 수익을 극대화하기 위해 심층 표현(deep representation) 트레이딩 전략을 채택하였습니다.

이 과정은 심층적이고 반복적인 특징 학습을 통해 신경망(Neural Network, NN) 복합체를 활용하여 이루어집니다. 이를 통해, 중첩 강화 학습(Nested Reinforcement Learning) 기법을 사용하여 비판적 행위자 우위(critic-actor advantage), 심층 결정론적 정책(deep deterministic policy), 그리고 균일 행위자 비판(uniform actor-critic)이라는 세 가지 심층 강화 학습 모델을 제공합니다.

주요 의사 결정권자를 위한 학습 강화: 이 방법을 사용하면 특정 시장에 대한 비즈니스 의사 결정을 내릴 에이전트를 신속하게 선택할 수 있습니다. 또한, 세 명의 주요 의사 결정권자를 활용하기 위해 무작위 선택에 가중치를 추가하는 것이 권장됩니다(Weighted Random Selection Criterion, WRSC).

따라서, 투자자는 에이전트가 제공하는 모든 이점을 활용할 수 있습니다. 주식 시장 지수는 CEEMDAN(Complete Ensemble Empirical Mode Decomposition with Adaptive Noise) 방법을 통해 내재 모드 함수(Intrinsic Mode Functions, IMF)로 분해되며, 각 IMF는 고유한 규모와 추세 기간을 가집니다.

ADF(Augmented Dickey-Fuller) 테스트는 장기 안정성을 평가합니다. 변동성이 높은 시계열 데이터는 LSTM(Long Short-Term Memory) 모델을 사용하여 분석하고, 안정된 시계열 데이터는 ARMA(AutoRegressive Moving Average) 모델을 사용하여 처리합니다. 최종 결과는 각 시계열 데이터에 대한 예측 결과를 종합하여 도출됩니다. 연속 이동 엔트로피(Continuous Moving Entropy) 방법을 특징 선택 기준으로 사용하여 다양한 변수의 추세를 분석하고, 이를 통해 비트코인 가격의 미래 방향을 예측합니다. RCSNet(Robust Composite Model for Sequential Networks) 하이브리드 모델은 선형 및 비선형 모델을 통합하여 이 문제를 해결합니다.

금융 빅데이터와 관련된 학술 서적의 내용을 한국어로 교정하면서 전문 용어를 함께 표기하고, 대학생이 이해할 수 있는 수준으로 설명하겠습니다.

그런 다음, 강화학습(Reinforcement Learning, RL) 엔진은 익숙하지 않은 환경에서 운영하며 수익을 극대화하기 위해 심층 표현(deep representation) 트레이딩 전략을 채택합니다. 이 과정은 심층적이고 반복적인 특징 학습을 통해 신경망(Neural Network, NN) 복합체를 활용하여 이루어집니다. 이를 통해, 중첩 강화 학습(Nested Reinforcement Learning) 기법을 사용하여 비판적 행위자 우위(critic-actor advantage), 심층 결정론적 정책(deep deterministic policy), 그리고 균일 행위자 비판(uniform actor-critic)이라는 세 가지 심층 강화 학습 모델을 제공합니다.

— 주요 의사 결정권자를 위한 학습 강화: 이 방법을 사용하면 특정 시장에 대한 비즈니스 의사 결정을 내릴 에이전트를 신속하게 선택할 수 있습니다. 또한, 세 명의 주요 의사 결정권자를 활용하기 위해 무작위 선택에 가중치를 추가하는 것이 권장됩니다(Weighted Random Selection Criterion, WRSC).

따라서, 투자자는 에이전트가 제공하는 모든 이점을 활용할 수 있습니다. 주식 시장 지수는 CEEMDAN(Complete Ensemble Empirical Mode Decomposition with Adaptive Noise) 방법을 통해 내재 모드 함수(Intrinsic Mode Functions, IMF)로

분해되며, 각 IMF는 고유한 규모와 추세 기간을 가집니다. ADF(Augmented Dickey-Fuller) 테스트는 장기 안정성을 평가합니다. 변동성이 높은 시계열 데이터는 LSTM(Long Short-Term Memory) 모델을 사용하여 분석하고, 안정된 시계열 데이터는 ARMA(AutoRegressive Moving Average) 모델을 사용하여 처리합니다. 최종 결과는 각 시계열 데이터에 대한 예측 결과를 종합하여 도출됩니다. 연속 이동 엔트로피(Continuous Moving Entropy) 방법을 특징 선택 기준으로 사용하여 다양한 변수의 추세를 분석하고, 이를 통해 비트코인 가격의 미래 방향을 예측합니다. RCSNet(Robust Composite Model for Sequential Networks) 하이브리드 모델은 선형 및 비선형 모델을 통합하여 이 문제를 해결합니다.

2015년부터 2019년까지 다카 증권거래소에서 거래된 244개 기업을 분석한 결과, 인공 신경망(Artificial Neural Network, ANN)으로 생성된 분류기의 정확도와 민감도는 각각 88%였으며, 이 모델의 AUC(Area Under the Curve) 값은 96%로 나타났습니다. 그러나 기록된 손실 및 기타 요인을 고려할 때, 앙상블 분류기가 다른 모든 모델보다 우수한 성능을 보였습니다. 브라질을 제외한 지역에서 COVID-19 팬데믹의 발생은 웨이블릿(Wavelet) 및 위상차(Phase Difference) 분석에 따라 샘플링 기간 동안 주가지수에 부정적인 영향을 미치지 않았습니다. 그러나 각 라틴 아메리카 국가의 전체 표본이 최저점을 기록한 특정 기간 동안에는 주가지수에 부정적인 영향을 미쳤습니다.

또한, 경쟁 시장 상황에 대응하기 위해, 저자들은 경쟁자 권한 부여 학습(Authority Reinforcement Learning, ARL)을 사용하여 시장 토큰을 생성하는 방법을 제시합니다. ARL 접근 방식은 도메인별 제한이나 불이익 없이 위험 회피 행동을 유도하며, 에이전트가 경쟁자의 존재 여부와 관계없이 기존의 표준 기준보다 뛰어난 성능을 제공한다는 것을 보여줍니다. 연구팀은 ARL의 효과를 기존의 두 가지 단일 전략 RL 방법과 비교했습니다. RL 실행 에이전트를 개발하고 훈련하기 위해, 더블 딥 큐 러닝(Double Deep Q-Learning, DDQL) 방법론과 에이전트 기반 인터랙티브 이산 이벤트 시뮬레이션(Agent-Based Interactive Discrete Event Simulation, ABIDES) 환경을 활용합니다. 시간 가중 평균 가격(Time-Weighted Average Price, TWAP) 전략은 특정 유형의 거래를 처리할 때 RL 에이전트가 자주 사용하는 방법입니다.

위험에 민감한 독립 에이전트를 교육하기 위해 강화 학습 기반의 의사 결정 트리(Decision Tree)를 사용하는 방법을 저자들은 제시했습니다. 이 의사 결정 트리는 위험에 민감한 Q-학습 프로세스를 사용하여 압축된 체결 에이전트를 생성하고, 과거 데이터를 활용하여 시장이 공격적인 거래에 어떻게 반응할지 예측하는 지정가 주문장(Limit Order Book, LOB) 생성기를 포함합니다. 연속 전송 엔트로피(Continuous Transfer Entropy) 방법을 특징 선택 매개변수로 적용하여 다양한 변수의 궤적을 분석하고, 이를 통해 향후 비트코인 가격의 변동 경로를 예측할 수 있습니다. 이 문제는 선형 모델과 비선형 모델을 통합하는 RCSNet 복합 모델을 개발함으로써 해결되었습니다.

저자들은 변화하는 경쟁 시장 상황에 대응하기 위해 경쟁자 권한 부여 학습(Competitive Reinforcement Learning, ARL)을 사용하여 시장 토큰을 생성하는 방법을 설명합니다. 이들은 ARL 기법이 도메인별 제한이나 제재 없이도 위험 회피 행동을 유도할 수 있음을 보여줍니다. 또한, 이 접근 방식은 에이전트가 경쟁이 있든 없든 관계없이 일련의 표준 기준에 비해 상당한 성능 향상을 제공합니다. 이 연구에서는 ARL의 효과와 기존의 두 가지 단일 전략 강화 학습(Reinforcement Learning, RL) 방법의 효과를 비교합니다. RL 실행 에이전트를 개발하고 훈련하기 위해 더블 딥 큐 러닝(Double Deep Q-Learning, DDQL) 방법론과 에이전트 기반 대화형 이산 이벤트 시뮬레이션(Agent-Based Interactive Discrete Event Simulation, ABIDES) 환경을 활용합니다.

시간 가중 평균 가격(Time-Weighted Average Price, TWAP) 전략은 특정 유형의 거래를 처리할 때 RL 에이전트가 자주 사용하는 방법입니다. 저자는 강화 학습 기반의 의사 결정 트리(Decision Tree)를 사용하여 위험에 민감한 독립 에이전트를 교육하는 방법을 보여주었습니다. 의사 결정 트리를 사용하여 압축된 체결 에이전트를 생성하는 위험에 민감한 Q-학습 프로세스와 과거 데이터를 사용하여 시장이 공격적인 거래에 어떻게 반응할지 예측할 수 있는 지정가 주문장(Limit Order Book, LOB) 생성기는 제안된 아키텍처의 핵심 구성 요소입니다.

3.8.1 회사의 주식 또는 기타 유형의 금융 자산

주식이나 기타 상장 금융상품의 미래 가치를 예측하는 것은 주식 시장 예측(stock market forecasting)이라고 합니다. 주식의 미래 가격을 성공적으로 예측하는 주식 브로커는 큰 수익을 올릴 수 있습니다. 효율적 시장 가설(Efficient Market Hypothesis, EMH)에 따르면, 주가는 공개적으로 이용 가능한 모든 정보를 반영해야 하므로, 최근 발표된 정보에 근거하지 않은 가격 움직임은 본질적으로 예측할 수 없습니다. 주식 시장은 다양한 정보 소스에 매우 민감하기 때문에, 전통적인 주식 시장 데이터는 주요 입력으로 사용됩니다. 그러나 인터넷의 확산과 함께 위키피디아나 구글 트렌드와 같은 새로운 형태의 집단 지성이 등장하면서 주식 시장에 큰 영향을 미치고 있습니다.

거래량과 금융 뉴스를 둘러싼 정서는 주가에 영향을 미치는 것으로 알려져 있습니다. 주식 시장 예측은 학계와 사업가들 사이에서 특히 관심을 받는 주제입니다. 보통주의 과거 가격 성과를 사용하여 주식의 미래 가격을 예측할 수 있는 정도는 여전히 논란의 여지가 있습니다. 주식 시장을 예측하려는 초기 연구에서는 랜덤 워크 이론(Random Walk Theory)과 효율적 시장 가설이 활용되었습니다. 이러한 초기 모델에 따르면, 주가는 현재 정보보다는 과거 가격이나 현재 가격에 더 많이 의존하기 때문에 예측하는 것이 사실상 불가능합니다.

이러한 가설에 따르면 주식 가치는 예측할 수 없이 움직이며, 정확도는 대략 50%에 불과합니다. 그러나 경험적 모드 가설과 랜덤 워크 가설은 많은 연구를 통해 반증되었습니다. 주식 시장에 대한 대안적 관점을 제시하는 이러한 연구 결과는 EMH의 기본 전제에 도전하고 있습니다. 비즈니스 세계의 많은 사람들은 시장을 예측할 수 있다는 증거로 S&P 500 지수를 능가하는 워렌 버핏의 실적을 지적합니다.

가격은 최근 이벤트, 소셜 미디어 플랫폼에서 수집한 데이터, 펀더멘털 분석, 기업의 생산 수준, 과거 데이터, 전반적인 경제 상황과 관련된 국채 가격 등 다양한 요인에 민감하게 반응합니다. 따라서, 한 가지 요소만 고려한 예측 전략은 그다지 정확하지 않을 수 있습니다. 뉴스, 소셜 미디어의 데이터, 과거 시장 정보 등 다양한 데이터 소스를 통합하여 알고리즘의 정확도를 높일 수 있습니다.

3.8.2 데이터 처리 및 소유권

대부분의 연구자들은 연구에 일별 데이터인 시가(Open), 최고가(High), 최저가(Low), 종가(Close), 거래량(Volume)인 OHLCV 데이터를 사용했습니다. 그러나 일부 연구자들은 1분, 5분, 15분 단위의 고주파 데이터를 활용하기도 했습니다. 감성 분석을 수행하는 연구자들은 트위터의 트윗이나 댓글과 같은 텍스트 데이터를 사용하기도 했습니다.

3.8.3 주식 시장 예측에 사용되는 다양한 유형의 데이터

(a) 야간 사전 정보(Pre-market Data): 주식의 시초가, 고가, 저가, 종가 및 거래량은 과거 데이터를 형성하는 주요 요소입니다. 예를 들어, TATAMOTORS의 로그 데이터 세트는 날짜 기반 주식 시장 데이터를 포함합니다.

(b) 분 단위 과거 가격 정보(Intraday Data): 틱 데이터(tick data)는 장중 거래 예측에 주로 사용되며, 주식의 시초가, 고가,

저가, 종가, 거래량을 포함합니다.

(c) **댓글 또는 트윗**(Text Data): 현재 감성 분석에서 가장 인기 있는 소셜 네트워크 중 하나는 트위터입니다. 이 트윗 데이터는 주식 시장에 대한 논의를 포함하며, 트윗은 긍정적, 중립적, 또는 부정적으로 분류됩니다.

(d) **컨볼루션 신경망**(CNN): 자동 이미지 처리에 가장 적합한 알고리즘 중 하나입니다. 기업들은 이 알고리즘을 사용하여 시각적 데이터를 분석합니다. 캔들 차트는 주식 예측에 일반적으로 사용되는 시각적 데이터 형태입니다.

(e) **기본 정보**(Fundamental Data): 펀더멘털 분석가들은 회사의 기본적인 건전성을 평가합니다. 이들은 회사의 과거 실적과 재무제표를 분석합니다. 연간 보고서와 재무제표에는 회사의 경영 상황, 경쟁 환경, 제품 정보, 경제적 요인, 정치적 상황, 노동 관계 등이 포함됩니다. 이러한 정보는 머신러닝 모델의 입력 데이터로 사용될 수 있습니다.

3.9 결론

금융 산업은 앞으로 머신러닝과 인공 지능(AI) 기반의 최첨단 전략과 모델에 점점 더 의존하게 될 것입니다. 머신러닝은 은행과 금융 기관이 새로운 애플리케이션을 발견하고 활용할 수 있는 더 많은 기회를 제공하며, 서비스를 더 효과적으로 제공합니다. 법적 및 책임 프레임워크의 통일화 과정에서도 이러한 새로운 접근 방식은 모델의 위험을 줄이는 데 필수적이며, 정책 입안자가 자본 가격 책정, 기업 모니터링, 신용 위험 평가 등에 대한 효율적인 입법 및 규제 구조를 개발하는 데 도움이 됩니다. 모델 검증 프로세스는 머신러닝 리스크를 줄이기 위해 주기적으로 업데이트되며, 모델 하이퍼파라미터는 새로운 애플리케이션을 지원하기 위해 광범위하게 최적화됩니다. 은행은 다양한 상황에서 모델을 사용함으로써 경쟁 우위를 확보하고 운영 리스크를 줄일 수 있습니다.

4장. 머신러닝 환경 설계 및 분석

4.1 개요

우리는 다양한 학습 알고리즘에 대해 논의했으며, 상황에 따라 선택할 수 있는 여러 알고리즘이 있다는 것을 알게 되었습니다. 이 책에서는 주로 두 가지 문제에 집중하고 있습니다:

1. 주어진 문제에서 학습 알고리즘의 예상되는 오류율을 어떻게 평가할 수 있을까요? 예를 들어, 어떤 애플리케이션에서 파생된 데이터 세트를 사용하여 분류기를 학습시킨 후, 예상 오류율이 2% 미만이라고 확신할 수 있는 기준은 무엇일까요?

2. 두 학습 알고리즘 중 특정 문제에 더 적은 오류를 발생시키는 알고리즘을 결정하기 위한 기준은 무엇일까요? 비교 대상이 되는 알고리즘은 파라메트릭(parametric)이거나 비파라메트릭(non-parametric)일 수 있으며, 서로 다른 하이퍼파라미터 설정을 가질 수 있습니다. 예를 들어, 4개

의 숨겨진 유닛을 가진 모델과 8개의 숨겨진 유닛을 가진 모델 중에서, 부정확성을 최소화하면서 가장 정확한 예측을 제공하는 다층 퍼셉트론(Multilayer Perceptron, MLP)을 식별하는 것이 목표입니다. k-최근접 이웃(k-Nearest Neighbors, k-NN) 분류기를 사용할 수도 있습니다.

훈련 세트에서의 오류는 결론을 도출하는 데 방해가 될 수 있습니다. 정의상, 훈련 세트에서의 오류율은 테스트 세트에 포함되지 않은 새로운 샘플에 대한 오류율보다 항상 낮습니다.

두 알고리즘의 학습 오류를 비교할 때도 마찬가지입니다. 실제로, 매개변수가 많은 모델은 매개변수가 적은 모델보다 훈련 세트에서의 오류가 적을 가능성이 높습니다. 이 때문에, 검증 세트가 필요하며, 단 한 번의 검증만으로는 충분하지 않을 수 있습니다. 이는 두 가지 주요 요인 때문입니다: 첫째, 훈련 세트와 검증 세트에는 노이즈나 이상 현상과 같은 변칙이 포함될 수 있으며, 둘째, 학습 과정에서 영향을 미칠 수 없는 다른 변수들이 있을 수 있습니다.

아키텍처와 훈련 세트가 동일하더라도, 시작 가중치의 차이로 인해 결과가 달라질 수 있습니다. 예를 들어, 역전파를 통해 훈련된 다층 퍼셉트론은 시작 가중치에 따라 최종 레이어의 가중치가 달라질 수 있습니다. 따라서, 다양한 무작위화 소스를 통해 여러 실험에서 얻은 데이터의 평균을 구하는 것이 목표입니다.

데이터에서 지식을 추출하기 위해 학습 기법을 적용하면, 다양한 검증 절차를 통해 평가한 후 실패한 검증의 예를 따르게 됩니다. 모든 훈련 및 검증 세트는 동일한 애플리케이션에서 가져와야 합니다.

이러한 유효성 검사 오류의 분포는 학습 기법 평가의 기초로 사용됩니다. 이 상황에서 사용된 학습 알고리즘을 평가하거나 다른 학습 알고리즘의 오류율 분포와 비교하는 데 사용할 수 있습니다.

이를 달성한 방법에 대해 자세히 설명하기 전에 다음 사항을 여러분들이 확인하는 것이 중요합니다.

1. 연구를 통해 도출한 결론의 타당성은 제공된 데이터 세트에 따라 달라집니다. "공짜 점심은 없다(The No Free Lunch Theorem)" 정리에 따르면, "최고의" 학습 알고리즘은 존재하지 않습니다. 모든 학습 알고리즘은 어떤 데이터 세트에서는 잘 작동하지만, 다른 데이터 세트에서는 성능이 저조할 수 있습니다. 따라서 알고리즘의 우수성은 귀납적 편향이 데이터의 특성과 얼마나 잘 일치하는지에 달려 있습니다.

2. 주어진 데이터 세트는 테스트 목적으로만 여러 쌍의 훈련 및 검증 세트로 분할됩니다. 모든 테스트가 완료되고 최종 기술 또는 하이퍼파라미터를 결정한 후에는 이전에 학습 또는 검증에 사용한 모든 태그가 지정된 데이터를 재사용할 수 있습니다.

3. 검증 세트는 실제로 두 학습 알고리즘 중 어느 것이 더 우수한지 또는 언제 학습을 중단할지 결정하기 위한 테스트(예: B)

에도 사용하기 때문에 우리가 사용하는 데이터의 일부입니다. 이러한 모든 테스트를 실행한 후 특정 방법을 선택하고 예상되는 실패를 보고하려면 최종 시스템 학습 중에 사용되지 않은 다른 테스트 세트를 사용하여 수행해야 합니다. 오류 추정이 유용하려면 데이터가 이전에 학습이나 검증에 사용된 적이 없어야 하며 의미 있는 데이터여야 합니다. 따라서 데이터 집합을 얻으면 일부는 테스트 집합으로 예약하고 나머지는 훈련 및 검증에 사용해야 합니다. 일반적으로 곧 살펴보겠지만, 샘플의 3분의 1을 테스트 집합으로 사용하고 나머지 3분의 2는 교차 검증을 위해 더 많은 훈련/검증 집합 쌍을 생성하는 데 사용할 수 있습니다. 따라서 주어진 학습 알고리즘과 모델 구조에 대해 학습 세트는 파라미터를 설정하는 데 사용되고, 검증 세트는 학습 알고리즘의 하이퍼파라미터 또는 모델 구조를 최적화하는 데 사용되며, 테스트 세트는 두 세트가 모두 중지된 후 마지막으로 사용됩니다. 예를 들어, MLP에서 검증 세트는 숨겨진 유닛 수, 학습 시간, 학습 속도 및 기타 변수를 선택하는 데 사용되며, 훈련 세트는 가중치를 설정하는 데 사용됩니다. 선택한 MLP 구성의 최종 오류는 테스터에서 계산됩니다. 따라서, k-NN에서 훈련 세트는 룩업 테이블로 유지되고, 거리 측정 yk는 검증 세트에서 최적화되며, 마지막으로 테스트 세트에서 테스트합니다.

4. 오류율을 기준으로 학습 알고리즘을 비교하는 것이 일반적이지만, 실제 상황에서는 오류 외에도 선택에 영향을 미치는 다양한 요소가 있음을 기억하는 것이 중요합니다.

손실 함수를 사용하여 오류를 일반화할 때의 위험을 다루는 것은, 단순히 손실(loss) 대신에 손실 함수(loss function)를 적용함으로써, 오류를 보다 포괄적으로 이해하고 처리할 수 있는 방법을 제공합니다.

- 교육 시간 및 공간의 복잡성: 이는 모델 학습에 필요한 시간과 자원의 양을 의미합니다. 모델의 학습과정에서 시간과 공간의 복잡성을 평가하는 것은 중요합니다.

- 해석 가능성(Interpretability): 이는 모델의 결정이나 예측이 전문가에 의해 얼마나 쉽게 이해되고 검증될 수 있는지를 나타냅니다.

- 프로그래밍의 용이성: 모델을 쉽게 구현할 수 있는 정도를 의미합니다.

애플리케이션의 특성에 따라, 이러한 요소들의 상대적 중요도는 달라질 수 있습니다. 예를 들어, 공장에서 단 한 번의 교육만 필요한 경우에는 교육 시간과 공간의 복잡성이 크게 중요하지 않을 수 있습니다. 반면, 실시간으로 적응이 요구되는 환경에서는 이러한 요소들이 매우 중요해집니다.

- 실험: 학생들이 데이터 세트를 학습하고, 검증 세트에서 모델의 정확도를 평가한 후 결론을 도출하는 과정입니다. 통계학은 실험을 적절히 설계하고 수집된 데이터를 분석하여 의미있는 결론을 도출할 수 있도록 돕습니다.

4.2 요인, 개입 및 실험 전략

기계 학습과 다른 연구 및 엔지니어링 분야에서는 실험을 통해 연구 대상 프로세스에 대해 더 많이 배웁니다. 데이터 세트에 대한 학습 후 주어진 입력에 대한 출력을 생성하는 것은 중요한 과정입니다. 출력에 영향을 미치는 변수를 변경하는 실험은 사용된 방법, 훈련 세트, 입력 속성 등을 결정합니다. 중요한 요인을 파악하고 중요하지 않은 요인을 제거하는 것이 목표입니다.

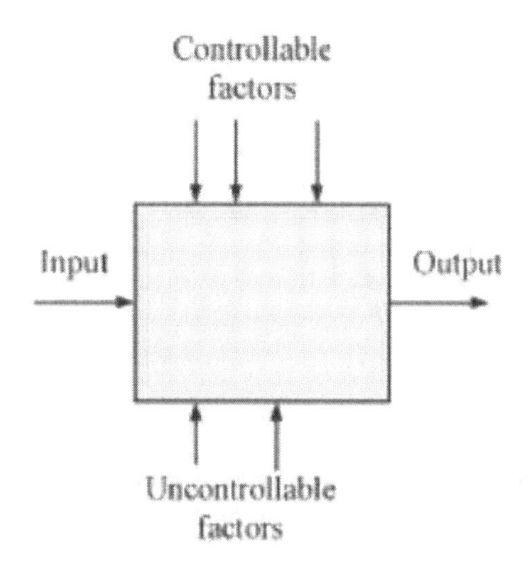

그림 4.1 제어 가능한 요소와 제어 불가능한 요소의 영향을 받으면서 입력을 받아 출력을 생성하는 프로세스를 보여줌.

목표는 우연의 역할을 최소화하고 통계적으로 유의미한 결과를 얻기 위해 머신러닝 실험을 설계, 실행 및 분석하는 것입니다.

이상적인 학습자는 일반화 정확도가 높고, 복잡성이 낮으며, 외부 변수의 영향을 적게 받는 것입니다.

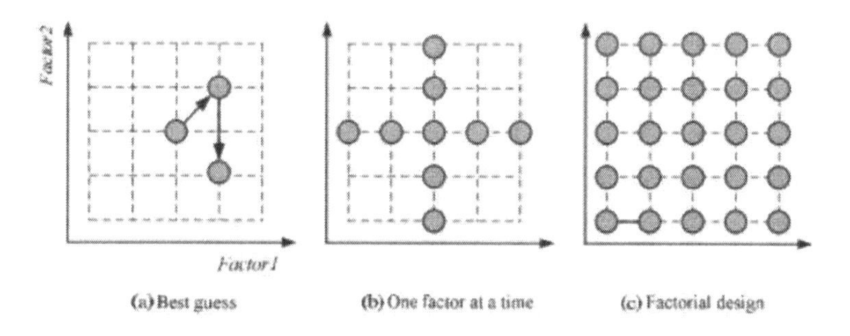

그림 4.2 각각 두 가지 요소와 다섯 가지 레벨로 구성된 다양한 테스트 전략.

실험은 최적의 매개변수 조합을 찾는 것을 목표로 합니다. 예를 들어, 서포트 벡터 머신 분류기에서는 정규화 파라미터 C와 가우시안 커널의 전파 σ^2를 동시에 조정할 수 있습니다.

다른 실험 방법에는, 적절하다고 생각되는 매개변수에서 시작하여 반응을 평가하고, 각 변수를 개별적으로 또는 조합하여 변경하면서 결과를 평가하는 방법이 있습니다. 이는 체계적인 접근 방식이 아니며, 실험자가 프로세스를 직관적으로 잘 이해하고 있을 때만 효과적입니다. 다른 전략으로는, 한 번에 하나의 요소만 변경하면서 각 요소에 대해 다른 수준에서 실험하는 방법이 있습니다.

이 때, 변수 간의 상호작용을 무시하는 것은 큰 오류입니다. 예를 들어, PCA(주성분 분석)와 k-NN(k-최근접 이웃)을 결합한 단계에서, d를 선택하는 것은 매번 k-NN에 대한 다른 입력 공간을 정의하고, 이에 따라 다른 k 값이 적용됩니다. 요인 설계(factorial design)라고도 하는 요인 방식 검색 그리드는, 요인들이 개별적으로가 아닌 연속적으로 변화될 때 사용하는 방법입니다. 여러 요인이 존재할 경우 각각을 개별적으로 탐색하는 것은 시간이 많이 소요되며, 이러한 요인 실험은 더욱 복잡해집니다.

4.3 책임 있는 설계

하나의 접근 방법은 매개변수의 하위 집합에 대해서만 부분 요인 설계(partial factorial design)를 수행하는 것이고, 다른 방법은 이전 실험의 데이터를 활용하여 어떤 설정이 높은 성능을 낼 수 있는지 예측하는 것입니다. 응답 변수가 일반적으로 이차

적(quadratic)이라고 가정할 수 있을 때(예: 테스트 정확도를 최대화하는 경우), 모든 가능한 값을 직접 테스트하는 대신, 반복적인 절차를 통해 최대값을 분석적으로 찾을 수 있습니다. 이는 다중 요인 응답 표면 설계(multi-factor response surface design) 방법으로 알려져 있으며, 다음과 같은 요인들에 대한 파라메트릭 응답 함수를 적용하려고 시도합니다.

$$r = g(f_1, f_2, \cdots, f_F | \Phi)$$

여기서

�

r은 응답이고,

�

ϕ들은 요인들입니다. 주어진 매개변수에 대해, 이 파라메트릭 함수는 특정 설정의 요인들에 대한 응답을 예측하는 경험적 모델로 작용하며, 제어할 수 없는 요인들의 영향은 노이즈로 간주됩니다. *g*()는 일반적으로 이차 회귀 모델이며, 충분한 데이터를 수집하여 *g*()에 적합할 수 있습니다.

이후, 적절한 g 값을 최대화하는 f_i값에 대한 실험을 수행하고, 이 값을 다음 추정치로 사용하여 데이터 샘플을 수집하고, 수렴할 때까지 g를 조정합니다. 이 전략의 성공 여부는 응답을 단일 최대 성분의 이차 함수로 표현할 수 있는지 여부에 달려 있습니다.

4.4 무작위화, 중복 및 차단

실험 설계의 세 가지 기본 원칙을 살펴보겠습니다.

- 무작위 배정(Randomization): 연구 결과가 독립적이라는 것을 보장하기 위해, 실험의 수행 순서를 무작위로 결정해야 합니다. 예를 들어, 기계가 정상 범위 내에서 작동하기 전에 예열이 필요한 경우, 결과가 왜곡되지 않도록 실험을 무작위 순서로 실행해야 합니다.

- 중복(Replication): 제어되지 않은 요소의 영향을 평균화하기 위해, 실험을 여러 번 반복하는 것이 좋습니다. 머신러닝에서는 동일한 데이터 세트의 여러 버전에 동일한 방법을 적

용하는 것이 일반적입니다. 이를 교차 검증(cross-validation)이라고 하며, 실험 오차를 추정할 수 있습니다.

- 차단(Blocking): 반응에 영향을 미치지 않는 중요하지 않은 요인으로 인한 변동을 줄이는 방법입니다. 예를 들어, 실험에서는 모든 학습 알고리즘이 동일한 리샘플링된 하위 집합을 사용해야 합니다. 그렇지 않으면, 정확도 차이가 방법과 각 하위 집합에 따라 달라질 수 있습니다.

4.5 머신러닝 연구를 위한 권장 사항

실험을 시작하기 전, 연구 대상, 데이터 수집 방법, 데이터 분석 방법을 명확히 이해하는 것이 중요합니다. 모든 실험 절차는 기계 학습에서 동일하게 적용됩니다. 여기서 분류, 회귀, 강화 학습, 비지도 학습 등의 구분은 중요하지 않습니다. 주요 차이점은 샘플링된 응답 데이터의 분포에 있습니다.

A. 연구 목적

문제와 목표를 명확하게 정의해야 합니다. 예를 들어, 학습 알고리즘을 사용하여 오차가 특정 허용 수준 이하인지 확인하거나, 두 개의 학습 알고리즘 중 어느 것이 더 낮은 일반화 오류를 가지는지 알고 싶을 수 있습니다. 이는 더 나은 특징 추출기의 사용과 같은 개선 제안일 수 있습니다. 여러 학습 알고리즘과 데이터 세트를 비교하는 것이 일반적인 경우입니다.

B. 응답 변수 선택

품질 지표 기준을 선택해야 합니다. 일반적으로 회귀의 경우 평균 제곱 오차, 분류의 경우 오분류 오차를 사용합니다. 또한, 모든 유형의 손실에 대한 0/1 위험 측정값을 추정할 수 있습니다. 검색 및 정확도와 같은 다른 메트릭도 유용할 수 있습니다. 비용이 중요한 요소일 경우, 시스템의 복잡성도 고려해야 합니다.

C. 선택 요소 및 수준

연구 목적에 따라 요소가 결정됩니다. 알고리즘을 비교하거나 최적의 하이퍼파라미터를 찾을 때 고려해야 할 요소입니다. 요소의 수준을 잘 선택하는 것이 중요하며, 가능한 한 표준화하는 것이 좋습니다. 중요할 수 있는 모든 구성 요소와 요인을 고려하되, 사전 지식에 지나치게 의존하지 않는 것이 중요합니다.

D. 실험 설계의 선택

요인 설계는 요인들이 상호 작용하지 않는다고 확신할 때까지 유용합니다. 데이터 세트의 크기에 따라 사본 수를 조정할 수 있습니다. 파라메트릭 테스트에서는 반복 횟수가 충분히 중요합니다. 데이터 세트를 나누어 테스트와 훈련/검증에 사용하는 방법을 이해하는 것이 중요합니다. 실제 조건에서 수집된 데이터 세트의 사용이 권장됩니다.

E. 실험 수행

대규모 실험을 시작하기 전에 몇 가지 초기 테스트를 수행하여 모든 것이 예상대로 작동하는지 확인하는 것이 좋습니다. 모든 결과는 재현 가능해야 하며, 실험 중간 결과를 기록하는 것이 좋습니다. 실험자는 프로세스 전반에 걸쳐 객관성을 유지해야 합니다.

선호하는 알고리즘을 다른 알고리즘과 비교할 때, 각 알고리즘을 철저히 분석하는 것이 중요합니다. 이미 잘 테스트되고 최적화된 코드를 사용하는 것이 좋으며, 문서화의 중요성을 과소평가하지 않아야 합니다. 머신러닝 연구에서는 고품질 소프트웨어 엔지니어링 기술의 적용이 필수적입니다.

F. 데이터 분석을 위한 통계 활용

데이터를 통해 우리가 도출하는 결론이 주관적이거나 우연에 의존하지 않도록 하는 것이 중요합니다. 문제 해결을 위해 가설 검증의 프레임워크를 사용하며, 샘플이 가설을 어떻게 뒷받침하는지를 평가합니다. 예를 들어, "A 알고리즘이 B 알고리즘보다 더 정확한가?"라는 질문은 "A 알고리즘으로 학습된 모델의 평균 오차가 B 알고리즘으로 학습된 모델의 평균 오차보다 유의미하게 작은가?"로 재표현됩니다. 시각적 분석이 도움이 되며, 범위 플롯, 박스 플롯, 오류 분포 히스토그램 등 다양한 도구를 활용할 수 있습니다.

G. 최근 검토 및 권장 사항

데이터를 모두 수집하고 검증한 후에는 편향 없는 결론을 도출할 수 있습니다. 대부분의 통계 연구와 마찬가지로 머신러닝이나 데이터 마이닝 연구도 반복적인 과정을 거칩니다. 이는 실험을 서두르지 않는 이유입니다. 초기 단계에서는 사용 가능한 리소스의 약 25%만을 사용하는 것이 권장됩니다. 초기 실험은 주로 연구 목적으로 활용됩니다. 또한, 관리자나 상사와의 사전 기대치 설정에서 과도한 약속을 피하는 것이 좋습니다. 통계 테스트는 가설의 참/거짓을 판별해주는 것이 아니라, 가설을 얼마나 잘 뒷받침하는지를 보여줍니다. 데이터가 부족하거나 잡음이 많은 경우, 확고한 결론을 내리기 어렵거나 결론이 잘못될 수도 있습니다.

기대치가 충족되지 않았을 때, 왜 그런지를 조사하는 것이 유익합니다. 예를 들어, 선호하는 알고리즘 A가 특정 조건에서 성능이 낮은 이유를 조사하면, 개선된 버전에 대한 통찰력을 얻을 수 있습니다. 모든 진전은 이전 반복에서의 단점을 보완한 결과이며, 약점을 파악하는 것은 개선의 기회를 제공합니다. 그러나 사용 가능한 데이터를 철저히 분석하고 충분한 학습을 한 후에만 개선된 버전을 테스트해야 합니다. 테스트 없이는 아이디어가 제대로 작동하는지 알 수 없으며, 이는 비용이 많이 들 수 있습니다.

4.6 교차 검증 및 샘플링 기법

복제를 위해 필요한 첫 번째 단계는 데이터 세트 X에서 다수의 훈련 및 검증 세트 쌍을 생성하는 것입니다. 데이터 세트 X를 K개의 동일한 부분으로 무작위로 나누어 각 부분을 훈련과 검증에 사용할 수 있습니다. 일반적으로 K는 10 또는 30으로 설정됩니다. 안타깝게도 충분한 데이터 세트가 없는 경우가 많습니다. 따라서 제한된 데이터 세트를 최대한 활용해야 합니다. 교차 검증은 동일한 데이터를 여러 번 활용하여 서로 다른 데이터 분할을 통해 오류율을 평가합니다. 데이터 세트 X가 주어졌을 때, 목표는 K쌍의 훈련/검증 세트를 생성하는 것이며, 오류 추정치를 정확하게 유지하면서 훈련 및 검증 집합의 크기를 최대화하고 중복을 최소화하는 것입니다. 또한, 클래스의 사전 확률을 유지하면서 데이터의 하위 집합을 계층화하여 클래스가 정확한 비율로 표현되도록 해야 합니다. 예를 들어, 데이터 세트에서 20%의 샘플을 차지하는 클래스는 모든 샘플에서 약 20%의 비율을 유지해야 합니다.

4.7 성능 측정 지표 선택

분류 작업에는 다양한 성능 측정 지표가 사용되며, 특히 이진 분류 문제에서 그 중요성이 더욱 부각됩니다. 표 4.2에서는 네 가지 가능한 결과를 설명합니다: 양성 예시를 정확히 양성으로 예측하면 진양성(TP), 양성 예시를 잘못하여 음성으로 예측하면 위음성(FN)이 발생합니다. 음성 예시에 대해서는, 예측이 정확하면 진음성(TN), 잘못하여 양성으로 예측하면 거짓 양성(FP)이 발생합니다.

표 4.2 이진 분류 문제의 성능 측정 지표

Last name	formula
error accuracy	$(fp+fn)/N$ $(tp+tn)/N = 1-\text{error}$
rate tp rate pf	tp/p fp/n
precision recall	tp/p' $tp/p = \text{tp-rate}$
sensitivity rate specificity	$tp/p = \text{tp-rate}$ $tn/n = 1-\text{fp-rate}$

이진 분류 문제에서는 두 가지 유형의 오류가 발생할 수 있습니다: 거짓 양성(FP)과 거짓 음성(FN). 예를 들어, 음성 인식을 통한 계정 로그인 시스템에서 거짓 양성은 사기꾼이 잘못 등록되는 것을 의미하며, 거짓 음성은 합법적인 사용자가 등록 거부되

는 것을 의미합니다. 명백히, 첫 번째 유형의 오류가 두 번째 유형보다 훨씬 더 심각한 결과를 초래할 수 있습니다. 진양성 비율(TP 비율) 또는 적중률은 실제 양성 중 정확히 양성으로 예측된 비율을 나타내며, 거짓 양성 비율(FP 비율) 또는 오경보 비율은 실제 음성 중 잘못 양성으로 예측된 비율을 나타냅니다.

시스템이 양성 클래스에 대해 확률 $P(C\ 1|x)$를 반환하고 음성 클래스에 대해 $P(C\ 2|x) = 1\ P(C\ 1|x)$를 반환한다고 가정해 보겠습니다. $P\ (C\ 1|x)>$이면 "양수"를 선택합니다. 양성 클래스에 대한 확률이 1에 가까울 때는 거의 선택하지 않으므로 거짓 양성은 발생하지 않지만, 진양성의 수도 적습니다. 진양성의 수를 늘리기 위해 임계값을 낮추면 거짓 양성의 위험이 증가합니다.

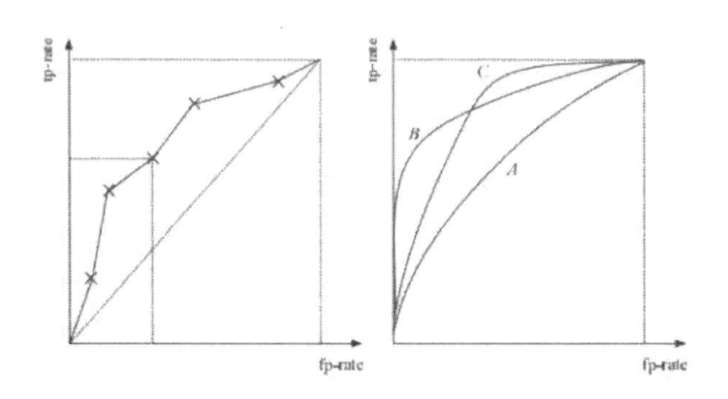

그림 4.3 ROC 곡선 예시; (a) 일반적인 ROC 곡선

(b) 다른 분류기의 ROC 곡선 비교

ROC 곡선 아래의 면적을 AUC(Area Under the Curve)라고 하며, ROC 곡선이 왼쪽 상단 모서리에 가까울수록(즉, AUC가 클수록) 분류기의 성능이 우수합니다. 분류기의 성능을 평가할 때, ROC 곡선을 통해 진양성 비율과 거짓 양성 비율 사이의 관계를 파악할 수 있으며, 이를 통해 다양한 임계값에서 분류기의 성능을 비교할 수 있습니다.

4.8 참고

본 절에서는 기계 학습에 적합하게 조정된 실험 설계, 범위 추정, 가설 검정, 분산 분석 등에 대한 정보를 제공합니다. 통계학

입문서에서는 이러한 주제들에 대한 자세한 설명을 찾아볼 수 있습니다. Dietterich(1998), Fawcett(2006), Demsar(2006) 등은 분류 알고리즘의 다양한 응용, ROC 곡선의 적용 및 계산, 다양한 데이터 세트에서 분류기를 테스트하기 위한 통계적 방법에 대해 논의합니다.

분류 방법의 예상 오류율이 동일하다고 해서 반드시 같은 오류를 저지르는 것은 아닙니다. 다른 분류기가 서로 다른 오류를 생성할 수 있으므로, 여러 모델을 결합하여 정확도를 높일 수 있는 가능성이 있습니다. 실제 애플리케이션에서는 학습 및 테스트의 복잡성, 해석 가능성 등 다양한 요소를 고려해야 합니다.

4.9 서로 다른 출처의 데이터 비교

이 절에서는 방법론의 비교가 아닌, 두 개 이상의 서로 다른 데이터 세트를 비교하는 상황을 가정해 보겠습니다. 데이터 세트 간의 차이는 귀납적 편향(inductive bias)이 문제에 얼마나 적합한지에 따라 알고리즘이 각각 다르게 작동할 수 있기 때문에 발생합니다. 이러한 차이는 서로 다른 데이터 세트에서의 오차

값이 반드시 정규 분포(normal distribution)를 따르지 않는다는 점에서 기인합니다. 따라서, 이전 섹션에서 설명한 모수적(parametric) 테스트에 의존하는 것은 적절하지 않으며, 비모수적(non-parametric) 테스트의 사용이 필요하다는 결론에 도달합니다. 비모수적 테스트의 장점은 훈련 시간, 자유 매개변수(free parameters)의 수 등 다양한 비정규 통계를 비교하는 데 활용될 수 있다는 것입니다.

일반적으로, 모수적 테스트는 특히 표본 크기가 클 때 정규 분포로부터의 작은 편차를 허용할 수 있습니다. 그러나 비모수적 테스트는 분포에 대한 가정이 없어 효율성이 떨어질 수 있으므로, 가능한 경우 모수적 테스트를 선호해야 합니다. 동일한 검정력(test power)을 얻기 위해서는 비모수적 방법이 더 큰 샘플 크기를 요구합니다. 비모수적 테스트는 단순히 값의 비교나 순서 매김을 가정하며, 기본 모집단의 분포에 대한 가정 없이 분류 정보를 활용합니다. 많은 데이터 세트에서 학습된 알고리즘의 오차 평균은 유용한 지표가 아니므로, 예를 들어 알고리즘 A와 B를 비교할 때 이러한 평균을 사용할 수 없습니다. 두 알고리즘을 비교할 때 유일하게 활용할 수 있는 정보는 주어진 데이터 세트에서 A가 B보다 더 정확한지, 그리고 그 정확도가 몇 번 관찰되었는지 여부입니다.

두 알고리즘이 모두 유효하다면, A가 B보다 우수한지, 아니면 그 차이가 우연에 의한 것인지를 평가해야 합니다. 여러 알고리즘이 존재하는 경우, 다양한 알고리즘으로 학습된 결과의 평균 성능을 비교합니다. 기본적으로, 비모수적 테스트는 절대적인 결과보다는 데이터의 분류를 활용합니다. 이러한 실험의 세부 사항을 살펴보기 전에, 알고리즘의 오류율과 다양한 애플리케이션 간의 비교가 의미 없다는 것을 인식하는 것이 중요합니다. "최고의 학습 알고리즘"이란 존재하지 않기 때문입니다.

그러나 알고리즘은 서로 다른 데이터 세트 간, 또는 동일한 애플리케이션의 다양한 복제본 간에 비교가 가능합니다. 예를 들어, 비모수적 테스트를 활용하여 해상도, 조명, 피사체 수 등 서로 다른 특성을 가진 다양한 얼굴 인식 데이터 세트의 알고리즘 성능을 비교할 수 있습니다. 각 데이터 세트의 특성이 달라 하나로 합칠 수 없는 경우에도, 각각의 데이터 세트에 대해 별도의 알고리즘을 훈련시키고, 이를 별도로 평가한 후 최종 결정을 위해 결합할 수 있습니다.

4.9.1 금융 분야의 머신러닝 애플리케이션

- 프로세스 자동화(Automation of Processes)
- 문서 분석(Document Analysis)
- 포트폴리오 관리(Portfolio Management)
- 알고리즘 트레이딩(Algorithmic Trading)
- 디지털 비서(Digital Assistants)
- 리스크 관리(Risk Management)
- 사기 탐지 및 자금 세탁 방지(Fraud Detection)

4.10 금융 분야에 머신러닝 적용하기

금융 업계에서 머신러닝의 잠재력을 인식하기 시작하면서, 이 기술의 활용이 점점 더 증가하고 있습니다. 여러분들은 재무 부서의 프로세스에 머신러닝을 통합하는 것을 고려해 볼 수 있습니다. 특히, Monkey's Learn과 같은 머신러닝 방법론은 빠르게 설정하고 사용하기 쉽습니다. 금융 서비스 업계가 프로세스를 자동화하여 시간을 절약하고 신속하게 대응할 수 있도록 하는 방법을 여러분들이 찾아본다면, 여러분들도 우수한 데이터 사이언티스트가 될 수 있습니다.

4.11 왜 금융 기술에 머신러닝을 개발해야 하는가?

머신러닝은 컴퓨터가 데이터 모델을 통해 학습하고 시간이 지남에 따라 진화할 수 있게 하는 인공지능(AI)의 한 분야입니다. 샘플 데이터를 머신러닝 알고리즘에 입력하면, 모델이 자연어 처리(NLP) 방법을 사용하여 데이터를 자동으로 해석합니다. 유사하지만 알려지지 않은 새로운 데이터가 주어지면, 모델은 패턴을 인식하고 결과를 예측하는 방법을 학습합니다.

데이터를 대량으로 생성하는 분야에서, 머신러닝은 큰 잠재력을 가집니다. 금융 서비스 분야의 인공지능에 관한 최근 보고서에 따르면, 금융 업계에서 머신러닝 기술의 활용이 급속도로 성장하고 있으며, 응답자의 85%가 현재 머신러닝 알고리즘을 사용하고 있다고 합니다.

금융 분야에서 머신러닝의 이점은 다음과 같습니다.

- 일상적인 프로세스의 자동화를 통한 비용 절감
- 더 빠르고 효율적인 의사결정을 통한 매출 증대
- 중요한 사안에 대한 우선순위 자동 지정을 통한 고객 경험 개선
- 사기 및 의심스러운 활동의 신속한 탐지를 통한 보안 강화

5장. 금융 분야에서의 머신러닝 활용 사례

5.1 개요

금융 분야에서 사기 탐지(fraud detection), 리스크 관리(risk management), 프로세스 자동화(process automation), 데이터 분석(data analysis), 고객 서비스(customer service), 알고리즘 트레이딩(algorithmic trading)은 머신러닝(machine learning, ML) 애플리케이션의 대표적인 예입니다. 이 분야에서 머신러닝의 활용은 지속적으로 진화하며, 자율성을 향한 발전을 추구하고 있습니다. 고객 경험을 새로운 차원으로 이끌며, 금융 엔지니어링(financial engineering), 분석 및 예측의 신속성과 정확성에 대한 수요가 증가하고 있습니다. 금융, 뱅킹(banking), 비즈니스 분석(business analytics)에 인공지능(AI)과 머신러닝을 도입함으로써 얻을 수 있는 이점은 매우 크며, 많은 성공 사례가 이를 입증하고 있습니다.

ML 알고리즘의 주요 목적은 대량의 데이터, 이벤트, 프로세스 및 시퀀스 간의 관계와 패턴을 찾는 것입니다. 그 결과, 머신러닝은 현재 프로세스 자동화, 보안 문제 해결, 고객 서비스 최적화, 대출 제공, 지갑(wallets), 개인 금융(personal finance) 등 다양한 분야에서 성공적으로 활용되고 있습니다. 은행, 보험사, 핀테크 회사에 취업하게 되면, 머신러닝을 활용한 은행 업무 사례를 적극적으로 다루게 될 것입니다. 고객과 회사 간의 상호작용을 개선하는 AI는 거의 눈에 띄지 않는 형태로 작동하기 때문에, 일부 전문가들은 금융 업계에 AI가 도입된 것을 "사무직에서의 마법(white magic)"이라고 표현하기도 합니다. 예를 들어, 우크라이나의 선도적인 상업 은행은 웹 플랫폼과 모바일 애플리케이션에 챗봇 어시스턴트 기술을 성공적으로 도입하여, 일반적인 질문에 대한 응답 시간을 크게 단축시켰습니다.

5.2 금융 서비스 개선을 위한 머신러닝 활용

현재 핀테크 산업에서 매우 중요한 도구로 자리 잡은 AI 기술은 스팸 탐지부터 문서 분류에 이르기까지, 금융 회사의 다양한 요구사항과 기본적인 비즈니스 운영에 활용될 수 있습니다. 자세한 내용은 페이릭스(Paylix) 페이지에서 확인할 수 있습니다. 다음으로, 이 기술의 잘 알려진 몇 가지 용도를 자세히 살펴보겠습니다. 은행과 금융 분야에서 머신러닝이 가져다주는 이점을 탐구해 보겠습니다.

제공되는 금융 서비스의 품질은 최상의 고객 서비스로 대표됩니다. 이는 주요 금융 기관들이 경쟁 우위를 확보하기 위해 노력하는 분야입니다. 머신러닝은 기업이 고객 만족도, 서비스 및 재무 효율성을 향상시키는 데 도움을 줍니다. 프로세스 자동화는 일상적인 수작업을 대체하여 프로세스의 자동화와 생산성을 높이는 데 기여합니다. 챗봇의 활용과 서류 작업 및 컨택 센터의 자동화는 금융 업계에서 고객 서비스 수준을 향상시키기 위한 프로세스 자동화의 대표적인 예입니다.

미국의 '빅4' 은행 중 하나인 웰스파고(Wells Fargo)는 미국, 캐나다, 푸에르토리코에서 은행, 보험, 금융 서비스를 제공하는 지주 회사입니다. 이 회사는 고객 서비스 개선에 지속적으로 투자하고 있으며, AI 기반 챗봇을 통해 소비자와 효과적으로 소통하고 계좌 및 코드에 대한 유용한 지원을 제공하고 있습니다.

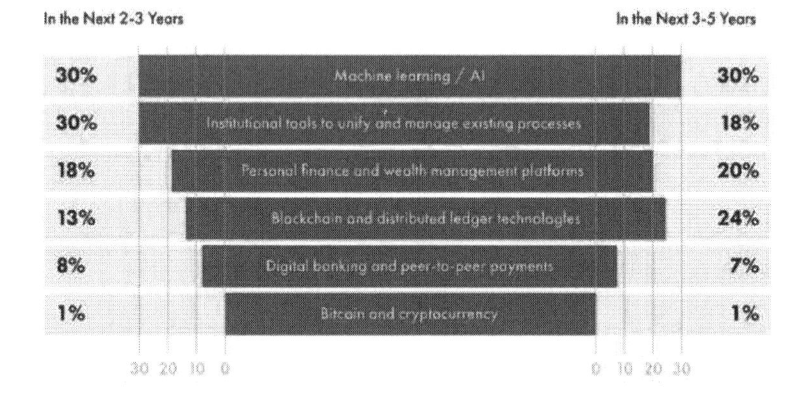

그림. 5.1 프로세스 자동화의 예시

5.3 금융 분야에서 머신러닝 활용 사례

현재 핀테크 산업에서 머신러닝은 필수적인 도구로 자리 잡았습니다. AI 기술은 스팸 탐지부터 문서 분류에 이르기까지, 금융 회사의 다양한 요구사항을 충족시키는 데 사용됩니다. 이 기술의 몇 가지 주요 활용 사례를 살펴보겠습니다.

고객 경험 개선을 위한 머신러닝 활용: 최고 수준의 고객 서비스는 금융 서비스의 품질을 나타내는 핵심 지표입니다. 머신러닝은 고객 만족도와 서비스 효율성을 높이는 데 기여합니다. 예를 들어, 웰스파고(Wells Fargo)는 AI 기반 챗봇을 통해 고객과의 효과적인 소통을 강화하고 있습니다.

고객 온보딩 과정 최적화: 고객 온보딩은 사용자가 은행이나 핀테크 기관의 고객이 되는 전체 프로세스입니다. 머신러닝은 이 과정을 개선하여 고객과 회사 간의 관계를 강화합니다. 예를 들어, N26 은행은 디지털 전환을 통해 고객이 스마트폰에서 금융 생활을 직접 관리할 수 있도록 했습니다.

사기 탐지 및 예방: 거래량과 보안 위협이 증가함에 따라, 머신러닝 알고리즘은 사기 탐지에 중요한 역할을 합니다. 예를 들어, 글로벌 결제 시스템인 페이오니아(Payoneer)는 머신러닝을 활용하여 거래 보안을 강화하고 있습니다.

포트폴리오 관리: 머신러닝은 고객의 재무 목표와 위험 성향에 맞춰 투자 옵션을 제안하는 로보 어드바이저를 통해 포트폴리오 관리를 자동화합니다. 예를 들어, BlackRock Investment Corporation은 Aladdin 시스템을 통해 투자 관리자에게 위험

분석 도구와 포트폴리오 관리 소프트웨어를 제공합니다.

신용 위험 평가 및 관리: 신용 리스크 관리는 머신러닝을 통해 효율성을 높일 수 있는 또 다른 분야입니다. 씨티(Citi)는 피드자이(Feedzai)와 협력하여 거래 모니터링 플랫폼을 통해 고객의 결제 거래를 더욱 효과적으로 제어하고 리스크를 관리합니다.
이러한 사례들은 머신러닝이 금융 분야에서 어떻게 혁신을 이끌고 있는지를 보여줍니다. 머신러닝은 금융 서비스의 효율성을 높이고, 고객 경험을 개선하며, 보안 위협에 대응하는 데 중요한 역할을 하고 있습니다.

고객 이탈 예측: 빅데이터를 활용한 비즈니스의 주요 활용 사례 중 하나는 고객 이탈 예측입니다. 이는 서비스나 정기 구독을 해지할 가능성이 있는 고객을 식별하는 과정입니다. 이 기술은 상업 광고용 판매 퍼널 생성부터 맞춤형 고객 충성도 프로그램 개발에 이르기까지 다양한 분야에 적용될 수 있습니다. 주요 모바일 서비스 제공업체나 통신사는 고객 이탈을 예측하기 위해 머신러닝을 활용하는 대표적인 사례입니다. 구독 기반의 서비스

를 제공하는 대부분의 기업이 이 기술을 활용할 수 있습니다. 예를 들어, 세계 최대의 동영상 스트리밍 서비스 제공업체인 넷플릭스는 2019년에 201억 5천만 달러의 매출을 기록했으며, 순이익은 18억 6천만 달러를 초과했습니다. 2019년 4분기 기준으로 전 세계 넷플릭스 스트리밍 사용자 수는 1억 6천 7백만 명에 달하며, 최근 몇 년간 지속적으로 증가하고 있습니다. 모바일 앱 개발을 고려 중이라면 이를 참고하시기 바랍니다.

자산 관리 및 가치 평가: 분산된 산업 시설이나 디지털 자산의 관리와 같은 분야에서 AI를 통한 자동화는 이미 많은 자산 데이터를 기록하고 있어 주요 후보 중 하나입니다. 자산 및 자산 관리 회사들은 방대한 양의 과거 데이터를 활용하여 더 나은 투자 결정을 내릴 수 있도록 지원하는 인공지능의 능력을 개발하고 있습니다. 은행 업계 AI 공급업체 중 약 13.5%가 자산 및 자산 관리 솔루션을 제공하고 있습니다.

주식 시장 예측: 트레이딩 업계에서 주식 시장의 변동성을 예측하는 것은 때때로 과소평가되거나 사이비 과학으로 치부되기도 합니다. 일부 전통적인 트레이더는 여전히 이러한 관점을 고수하

며 매일 다수의 일본 캔들 스틱 차트를 검토합니다. 그러나 현재와 과거의 데이터를 바탕으로 정보에 기반한 예측을 수행할 수 있습니다. 기술적 분석은 과거의 가격 움직임과 패턴을 기반으로 주식의 가격 방향을 예측하는 방법입니다. 이 방법은 알고리즘과 신경망을 포함한 가장 널리 사용되는 방법 중 하나입니다.

알고리즘 트레이딩 및 주식 시장에서의 활용: 알고리즘 트레이딩 분야에서 금융 머신러닝은 수익성 있는 트레이딩 기회를 찾는 데 도움을 줍니다. 실시간 시장 정보 업데이트와 거래 결과는 수학적 모델을 통해 추적됩니다. 주가의 상승 또는 하락에 영향을 줄 수 있는 패턴을 찾기 위해 특수 알고리즘이 개발되었습니다. 예측과 관련된 실제 데이터를 사용하여 주식을 매도, 보유, 또는 매수하기 위한 사전 조치를 취할 수 있습니다. 머신러닝 알고리즘은 다양한 데이터 소스와 시장 상황을 동시에 분석할 수 있으며, 방대한 정보량을 인간 트레이더가 처리하는 것은 불가능합니다.

신용 평가 및 보험: 신용 평가 시스템은 개인의 신용 가치와 신

용 위험을 수치적으로 평가하는 통계적 방법입니다. 이 기술은 모바일 사업자나 보험 회사와 같이 현장에서 소액 소비자 대출을 제공하는 대출 회사에서 널리 사용됩니다. 점수 매기기 과정에서 대출자는 신용 보험사가 준비한 설문지에 답변하고 점수를 받습니다. 시스템은 이 점수를 바탕으로 대출 승인 여부를 자동으로 결정합니다. 스코어링 시스템은 수천 명의 개인 신용 이력을 조사하여 특정 대출자 그룹의 대출 상환 확률을 제공합니다.

예를 들어, 100년 이상의 역사를 가진 미국 최대 신용 정보 기관 중 하나인 Equifax는 머신러닝과 핀테크 기술을 성공적으로 활용하여 인구 통계 및 비즈니스 신용 점수를 제공하고, 비즈니스 신용 모니터링 및 사기 방지 서비스를 소비자에게 직접 판매하고 있습니다.

5.4 경험 분석

당사는 다양한 국가에서 활동하는 대형 은행들과 협력하고 있습니다. 예를 들어, 미국의 방코 산탄데르(Banco Santander)와의 파트너십은 특히 성공적이었습니다. 우리는 은행 자산을 구매할 가능성이 있는 개별 고객을 식별하는 예측 모델 개발을 지원했습니다. 이러한 전략의 핵심 목표는 특정 은행 상품에 대한 마케팅 캠페인을 통해 구매를 유도하는 고객 비율을 증가시키는 것이었습니다.

러시아의 주요 금융 기관인 Sberbank 역시 머신러닝을 성공적으로 적용한 사례입니다. Paylix 팀은 고객의 전체 및 개별 지출 예측 모델을 개발해야 했습니다. 이를 위해 다양한 템플릿을 설계하여 문제 해결에 접근했습니다. 이 모델에는 의사 결정 트리(Decision Trees), 선형 회귀(Linear Regression), 예측 시계열(Forecasting Time Series) 등이 포함되었습니다. 이 접근법의 목적은 관련성 높은 맞춤형 제안을 통해 매출을 증가시키고 고객 유지율을 높이는 것이었습니다. 플라스틱 카드를 통한 고객 거래 추정이 이 솔루션의 핵심이었습니다.

Revoleto와 같은 온라인 학습 플랫폼은 투자 및 거래 세계에 대한 지식을 제공합니다. 이 플랫폼의 목표는 초보자가 거래 시장에 진입하는 데 도움을 주는 것입니다. Revoleto는 다양한 트레이딩 및 투자 도구를 통해 사용자가 시장을 정확하게 평가하는 방법을 배울 수 있도록 지원합니다.

핀테크 산업에서 혁신적인 아이디어로 시장을 변화시키려는 계획은 결코 쉽지 않습니다. 기술적 및 호환성 문제를 신속하게 해결해야 하는 도전이 많이 있습니다. 당사는 웹 및 모바일 서비스를 제공하는 조직으로, 합리적인 개발 비용으로 최상의 프로젝트 품질을 달성하기 위한 깊은 이해를 가지고 있습니다. 비즈니스 성장의 특정 단계에 맞춰 배포할 수 있는 전담 원격 엔지니어링 팀을 구성하여 개발 프로세스를 최대한 간소화했습니다.

당사는 수요 예측, 재고 최적화, 고객 이탈 예측, 신용 평가 등 다양한 핀테크 솔루션 개발에 대한 광범위한 경험을 보유하고 있습니다. Paylix는 특정 비즈니스 및 재무 작업에 유용한 머신러닝 사례를 적용한 방대한 경험을 가지고 있으며, 이러한 솔루션은 다양한 맥락에서 적용 가능합니다.

5.5 머신러닝의 전망

준비된 컴퓨팅 성능과 혁신적인 머신러닝 기술 덕분에, 금융 업계에서 머신러닝의 인기는 다른 어떤 분야보다 높습니다. 금융 분야에서 머신러닝의 주요 이점은 제품 마케팅을 간소화하고 정확한 판매 예측을 지원하는 데 있습니다.

머신러닝 알고리즘은 인간의 능력을 초월하는 많은 작업을 수행할 수 있으며, 인간의 오류 가능성을 제거합니다. 알고리즘의 성능이 지속적으로 향상됨에 따라, 오류 없는 완전 자동화된 금융 시스템을 실현하는 데 중요한 역할을 합니다. 당사는 귀사가 이러한 이점을 활용하여 경쟁에서 앞서 나갈 수 있도록 지원할 준비가 되어 있습니다.

5.6 금융 업계에서 머신러닝의 장점

금융 산업에 머신러닝을 적용함으로써 얻을 수 있는 장점은 다음과 같습니다:

인적 오류 감소: 머신러닝 알고리즘을 통해 인적 오류를 크게 줄이고 정확한 데이터 처리를 달성할 수 있습니다.
실시간 처리: 머신러닝은 실시간 솔루션을 제공하여 프로세스 가

속화와 정확한 예측을 가능하게 합니다.

수익성 증가: 장기적으로 볼 때, 인공 지능과 머신러닝은 가치 있는 투자가 될 수 있습니다.

업무량 감소: 복잡하고 반복적인 작업을 머신러닝을 통해 효율적으로 수행하면 업무량을 크게 줄일 수 있습니다.

객관성 유지: 머신러닝 알고리즘은 데이터 선택과 의사 결정 과정에서 객관적이고 편견 없는 판단을 제공합니다.

5.7 금융 부문에서 머신러닝의 적용

사기 탐지, 리스크 관리, 프로세스 자동화, 데이터 분석, 고객 서비스, 알고리즘 트레이딩 등은 금융 업계에서 머신러닝이 널리 적용되는 분야입니다. 금융 부문에서 머신러닝의 적용은 지속적으로 발전하고 있으며, 자동화와 효율성 향상을 목표로 하고 있습니다.

가트너의 조사에 따르면, 금융 관리자들은 원장 기술, 재무 마감 솔루션, 워크플로우 자동화 등 다양한 기술 솔루션에 상당한 투자를 하고 있으며, 이러한 기술은 이미 많은 기능에 구현되어 있습니다. 대부분의 경영진은 2025년까지 자동화를 통해 재무 마감 프로세스를 완전히 자동화하는 것을 목표로 하고 있습니다. 인공지능과 머신러닝은 금융 서비스 산업의 미래를 형성할 것입니다.

5.8 금융 분야에서 머신러닝 활용의 필요성

금융 업계에서 올바른 기술을 선택하는 것은 투자 수익을 극대화하는 데 중요합니다. 다음은 금융 업계에서 고려해야 할 머신러닝의 주요 적용 분야 7가지입니다.

- **재무 예측**

머신러닝은 대규모 데이터 세트를 분석하여 미래의 금융 동향을 예측하고, 잠재적 위협과 기회를 식별하여 투자 기회를 개선하는 데 있어 다른 기술을 압도합니다.

• 고객 지원의 혁신

챗봇을 통한 머신러닝은 고객 경험과 서비스를 혁신적으로 개선할 수 있으며, 빠른 지원과 개인화된 조언을 제공합니다.

• 포트폴리오 관리(로봇 어드바이저)

로보어드바이저는 고객의 투자 포트폴리오를 최적화하고 관리하는 데 도움을 줍니다.

• 사기 탐지 및 예방

머신러닝 알고리즘을 사용하여 사기 탐지 프레임워크를 개발하여 핀테크 조직의 사기 행위를 탐지하고 예방할 수 있습니다. 디지털 거래가 증가함에 따라 머신러닝은 사기 활동을 실시간으로 탐지 및 중지하고 추가 손실을 방지하는 데 귀중한 자원이 될 수 있습니다.

• 알고리즘 트레이딩

알고리즘 트레이딩은 시장 데이터를 분석하여 트레이딩 전략을 수립하고 실행하는 것을 의미합니다. 자동 또는 알고리즘 트레이딩은 수동 트레이딩에 비해 시간을 절약하고 인적 편향성을 줄일 수 있는 대안입니다. 따라서 더 나은 비즈니스 판단을 내릴 수 있으며, 수천 개의 시장과 수천 개의 데이터 소스의 조건을 검토하여 패턴을 파악하고 전략을 세울 뿐만 아니라 궁극적으로 수익 증가 가능성을 높일 수 있습니다.

- **평가 및 인수 절차 간소화**

머신러닝은 신속한 언더라이팅 및 신용 평가 결정을 가능하게 합니다. 학습 알고리즘은 대량의 고객 데이터에 의존하기 때문에 시스템은 빠른 언더라이팅 및 신용 등급 결정을 내릴 수 있습니다. 또한 이 시스템은 직원들이 더 성공적으로 업무를 수행할 수 있도록 도와줍니다.

- **프로세스 자동화**

머신러닝은 금융 분야에서 프로세스 자동화를 통해 업무 효율성을 높입니다. 콜센터와 챗봇에 사용되는 자동화는 물론 직원 교육의 게임화 및 서류 작업 자동화를 통해 기업은 수작업을 대체하고 서비스를 개선하며 비즈니스 효율성을 높일 수 있는 기회를 제공할 수 있습니다.

5.8.1 금융 업계에서 머신러닝의 부상 요인

금융 업계의 기업들은 매일 전 세계에서 수십억 달러의 자금을 이동시키며 실행 가능한 인사이트를 제공하기 위해 분석해야 하는 많은 빅데이터를 생성합니다. 인공지능은 이러한 다양한 데이터 세트를 수집하고 평가하는 데 큰 도움이 되는 것으로 입증되었습니다.

5.8.2 금융회사에 머신러닝이 필요한 이유

금융회사에 머신러닝을 도입하게 될 경우, 회사는 고객 경험 향상 개인화된 고객 서비스 제공 보안 강화 사기 탐지 및 예방 위험 수준 감소 빅데이터를 통한 인사이트 확보 그리고 프로세스 간소화 및 자동화로 생산성 향상 보안 강화 사기 탐지 및 예방 빅데이터를 통한 인사이트를 얻을 수 있습니다.

5.9 금융 분야에서의 머신러닝의 미래 전망

금융 업계에서 AI에 대한 투자가 지속되면서, 머신러닝은 금융 서비스에 지속적으로 가치를 더하고 새로운 사용 사례를 창출할 것으로 예상됩니다. 디지털 시대로의 전환과 함께, 머신러닝은 금융 업계에서 필수적인 요소가 되었습니다. 생성되는 방대한 데이터 양은 머신러닝에 대한 학습 환경을 제공하며, 이는 기술 발전을 촉진하고 금융 프로세스의 완전한 자동화를 향한 발전을 이끌 것입니다.

5.10 금융 산업에서 머신러닝의 역할

기술의 급속한 발전과 함께, 인공지능(AI) 및 머신러닝(ML) 분야의 숙련된 전문가에 대한 수요가 증가하고 있습니다. 미국 노동통계국(Bureau of Labor Statistics, BLS)은 머신러닝을 컴퓨터 과학 및 연구 분야에 포함시키며, 이 분야의 고용은 2021년부터 2031년까지 21% 증가할 것으로 예상되어 가장 빠르게 성장하는 직업군 중 하나로 꼽힙니다.

5.10.1 금융 분야의 머신러닝 경력 유형 및 급여

금융 업계에서 머신러닝의 적용은 다양한 전문 분야에서 고도로 숙련된 인력에게 유망한 경력 기회와 수익성 높은 수입을 제공합니다. Glassdoor.com에 따르면, 머신러닝 관련 금융 직종의 미국 내 평균 연봉 정보를 확인할 수 있습니다.

5.10.2 금융 분야에서 머신러닝 경력 발전에 명예직이 미치는 영향

금융 산업은 인공지능의 도움으로 미래 지향적으로 나아가고 있으며, 정확도를 높이면서 리스크를 관리하는 머신러닝의 역량은 점점 더 중요해지고 있습니다. 금융 분야에서 머신러닝은 아직 초기 단계이지만, 빠르게 업계의 중심 기술로 자리잡고 있습니다. 금융 전문가의 커리어 발전에 필요한 지식과 자료를 제공하는 단기 온라인 과정은 매우 유용하며, 많은 이점을 제공할 수 있습니다. Emeritus와 같은 기관에서 제공하는 다양한 머신러닝 과정은 세계적으로 명망 있는 대학의 전문가들에 의해 진행됩니다.

6장. 의료 분야의 머신러닝 개요

6.1 배경

동남아시아 지역의 한 은행 고객이 머신러닝 이니셔티브에 대한 지원을 요청했습니다. 이 은행은 금융 컨설팅에 머신러닝 알고리즘을 적용하기 시작한 초기 단계에 있었습니다. 저는 이 프로젝트를 지원하기 위해 세계 여러 나라의 금융 자산을 조사하는 데 많은 시간을 할애했습니다.

오늘날, 금융 비즈니스에서 머신러닝과 인공지능의 사용은 다양한 기회를 제공합니다. 이러한 기회는 신용 조합, 은행, 신용카드 회사, 보험 회사, 회계 회사, 소비자 금융 회사, 증권 중개인, 뮤추얼 펀드, 개인 자산 관리자 등 다양한 금융 서비스 제공업체에 적용될 수 있습니다.

금융 서비스를 구매하는 데 관심이 있는 고객을 분류할 때, 우리는 다음과 같은 주요 범주로 나눌 수 있습니다.

표 6-1. 금융 부문의 다양한 세그먼트, 광범위한 분류

분류	초점	결과 및 차별화
소비자 금융	간접 개인 대출 제공 리스 및 판매를 포함한 파이낸싱 예금, 신용카드 발급, 파이낸싱 상점 및 선불 대출 제공자	개인에게 무담보 대출을 제공합니다. 상업적 및 개인적 용도로 서브 프라임 카테고리를 이동하고 신용이 나쁜 사람들을 모기지하고 있습니다.
자본 시장	무역, 중개, 전략 컨설팅, 포트폴리오 관리, 자산 관리 등을 포함한 비즈니스 수행	주로 중개자 역할을 합니다, 예를 들어 자본을 제공하거나 관리하는 등 기관과 개인의 재무 목표를 달성하는 중개자 역할을 합니다.
다양한 금융 서비스	금융 컨설팅 회사, 투자 리서치 회사, 보조금 및 신용 평가 회사와 같은 금융 서비스를 제공합니까?	수입의 대부분은 특정 주제와 전문적인 활동으로 벌어들입니다.

CFA의 편집자이자 수석 산업 분석가인 John W. Molka III가 2008년에 발표한 연구에 따르면, 서브프라임 모기지(subprime mortgage)와 신용 경색(credit crunch)은 금융 서비스 산업에 큰 영향을 미쳤습니다. 우선, 소비자 대출 산업을 살펴보겠습니

다. 이 산업에는 대부업체, 선급금 대출업체(payday lenders), 간접 신용카드 발급업체(indirect credit card issuers), 개인 대출업체(personal loan providers)가 포함되며, 대출 및 모기지(mortgages)와 같은 금융 서비스를 제공하는 회사들은 이 목록에 포함되지 않습니다.

이러한 회사들의 주요 수입원은 개인 대출자에게 무담보 대출(unsecured loans)을 제공하는 것입니다. 비록 이 보고서의 모든 데이터는 미국을 기준으로 하지만, 이 비율은 모든 선진국에서도 유사하게 적용될 수 있습니다. 예를 들어, 2007년 소비자 대출 회사들은 전체 소비자 대출의 약 23%를 차지했으며, 이는 다른 선진국에서도 비슷한 비율을 보입니다. 이 데이터는 미국소비자금융협회(American Consumer Finance Association)에서 제공합니다.

두 번째로 살펴볼 부문은 자본 시장(capital markets)입니다. 여기에는 공과금(utilities), 투자 전문 자문(investment advisory services), 전략적 재무 자문(strategic financial advisory), 카드 관리(card management), 자산 관리(asset management), 자산 운용(asset operation) 등 다양한 금융 활동에 관여하는 기업들이 포함됩니다. 이러한 회사들은 중개자(brokers) 역할을 하며, 다른 금융 기관이나 개인이 그들의 목표를 달성할 수 있도록 돕습니다. 투자 은행 서비스(investment banking services), 주식(stock), 채권(bonds), 파생상품(derivatives), 상품(commodities) 거래는 이러한 기관에서 제공하는 주요 서비스 중 하나입니다. 또한, 이들은 전 세계 여러 지역에서 개인과 조직을 대신하여 거액의 자금을 관리하는 자산 관리 회사들로 구성되어 있습니다.

투자 은행 및 증권 거래, 중개회사의 성장은 이 경제 부문에서 나타나는 주요 트렌드 중 하나입니다. 투자 은행 및 증권 거래가 포함된 서비스 카테고리는 전체 산업 활동의 약 41%를 차지하며, 따라서 가장 중요한 서비스 유형 중 하나입니다. 뮤추얼 펀드(mutual funds) 및 기타 투자 유형의 증가는 업계에서 성장하는 추세로, 이는 기존 시장과 신흥 시장 모두에서 관찰됩니다.

기본적으로, 이 업계에는 금융 자문(financial advisory), 투자

리서치(investment research), 주식 시장 조사(stock market research), 대출 금리(loan rates) 및 주식 시세(stock quotes)를 제공하는 회사들이 포함됩니다. 이 업계에서 가장 성공적인 상위 10대 기업으로는 씨티그룹(Citigroup), 버크셔 해서웨이(Berkshire Hathaway), 골드만 삭스(Goldman Sachs), 모건 스탠리(Morgan Stanley), JP 모건 체이스(JP Morgan Chase), 메릴 린치(Merrill Lynch) 등이 있습니다. 이제 다각화된 금융 서비스(diversified financial services) 분야를 살펴보고, 업계의 주요 하위 부문들과 각 하위 부문이 제공하는 가치 제안(value propositions)을 알아보겠습니다.

6.1.1 금융 부문

그림 6-1은 금융 부문을 은행 부문(banking sector)과 비은행 부문(non-banking sector)으로 나누는 방법을 보여주는 재무제표(financial statement)의 세부 그래프입니다.

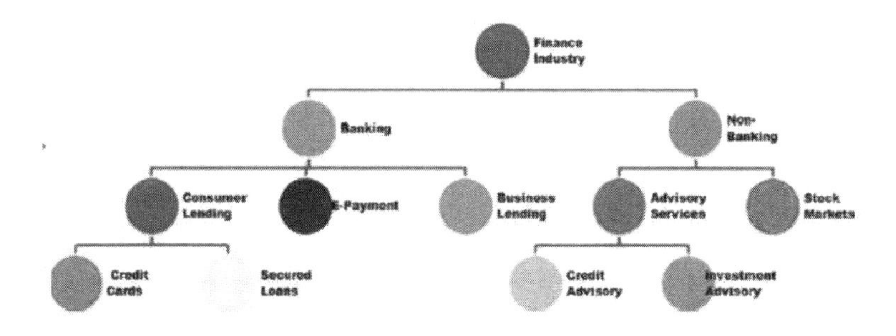

그림 6-1. 금융 부문

소비자 신용(consumer credit)은 은행 산업의 일부로, 고도로 조직화된 비즈니스 형태입니다. 이러한 유형의 비즈니스에서 고객의 신용 가치(creditworthiness)는 각 고객에 대한 신용 프로필(credit profile)을 생성하여 결정됩니다. 신용 프로필이 위험(risk)으로 분류되면, 다음 단계는 상환 금액(repayment amount)을 결정하는 것이며, 이후에 세그먼트 대출(segmented loans)이 이루어집니다. 비즈니스 대출(business loans)은 투자(investment) 및 확장(expansion) 목적으로 상업 법인(commercial entities)에 제공되는 고도로 구조화된 대출 유형입니다. 전자 결제(electronic payments)는 뱅킹의 세 번째 세분화 분야로, 국가별 은행 시스템을 통해 처리되며, 소비자와 기업은 이 시스템을 사용하여 온라인으로 금융 거래를 합니다. 신용 카드 대출(credit card loans)과 담보 대출(secured loans)도 소비자 대출의 하위 범주입니다. 은행은 개인의 신용 가치를 평가한 후 신용 카드를 발급하며, 보유 자산(asset holdings)과 과거 대출 이력(loan history)을 바탕으로 담보 대출을 승인합니다.

비은행 부문에서는 시장을 자문 서비스(advisory services)와 주식 시장(stock market)의 두 가지 주요 범주로 나눕니다. 자문 서비스 부문에서는 신용 자문 서비스(credit advisory services)와 투자 자문 서비스(investment advisory services)로 사업을 분류합니다. 은행, 국가, 기업 등의 기관 신용 등급(institutional credit ratings)은 이들이 제공하는 신용 상담 서비스와 관련이 있습니다. 이 범주에는 세계 각지에서 운영되는 다양한 평가 기관(rating agencies)이 포함됩니다.

투자 컨설팅(investment consulting)은 다양한 개인 및 조직의 자금 관리(fund management) 및 관련 자문 서비스를 다룹니다. 여기에는 포트폴리오 관리(portfolio management) 및 기타 유사한 형태의 재무 자문(financial advisory) 서비스가 포함됩니다. 규제된 거래소(regulated exchanges)와 블록체인 기술(blockchain technology)에서 사용되는 규제되지 않은 거래소(unregulated exchanges)는 거래소 유형의 예입니다. 포트폴리오 관리 및 중개 서비스(brokerage services)도 거래소의 일부입니다(예: 비트코인(Bitcoin)). 이 책에서 금융 부문에 대한 더 자세한 업종 분류는 은행 섹션에서 찾아볼 수 있습니다.

6.2 경제적 가치 제안 (Economic Value Proposition)

구글(Google)의 사전적 정의에 따르면, 가치 제안(Value Proposition)은 기업이나 제품을 고객에게 매력적으로 보이게 하기 위한 마케팅(marketing), 혁신(innovation), 서비스(service) 및 기능(feature)입니다.

그림 6-2는 이 점을 더 자세히 설명합니다. 은행 및 기타 금융 서비스는 고객과 상업 고객에게 기업이 제공하는 금융 서비스와는 다른 가치 제안을 제공합니다.

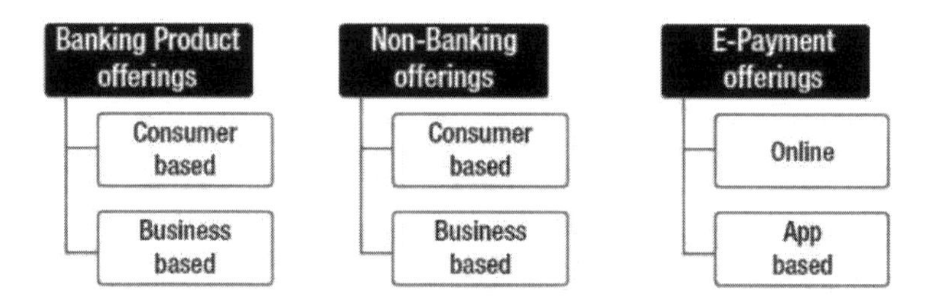

그림 6-2. 고객의 가치 제안에 대한 자금 조달

고객 서비스(customer service), 투자(investment), 무역(trade) 부서 등은 대부분 금융 기관(financial institutions)의 조직 구조에서 표준적인 부서입니다. 다른 인기 있는 부서로는 기업 서비스(corporate services)를 제공하는 부서가 있습니다. 특히 소비자 서비스(consumer services) 부문에서는 일반 소비자를 프리미엄(premium) 또는 우대 고객(preferred customers)과 일반 소비자(general consumers)로 구분하는 경향이 있습니다. 이러한 접근 방식에서 은행이나 금융 자문(financial advisory), 자산 관리(asset management) 회사와 같은 금융 기관은 고객을 구분하고, 이러한 구분에 따라 다양한 서비스 수준을 제공합니다. 머신러닝(machine learning)의 비즈니스 적용 사례를 살펴보겠습니다. 고객이 마케팅 또는 고객 서비스 부서와만 직접 상호작용하며, 나머지 부서는 주로 백엔드(backend)에서 작업하는 것이 일반적입니다. 이는 비즈니스의 중요한 측면 중 하나입니다. 그러나 금융 서비스 분야에서는 각 선호 고객 또는 프리미엄 고객에게 전담 계정 관리자(account manager)를 배정하는 추세가 증가하고 있습니다.

비은행(non-banking) 그룹에 속하는 서비스 유형을 살펴보면, 이는 주로 자문 서비스(대출 및 투자 모두에 해당)와 외환 거래(forex trading) 관련 서비스로 구성됩니다. 대출 및 투자 자문 서비스는 개인뿐만 아니라 다른 회사, 조직 또는 기관에도 제공될 수 있습니다. 소비자 자문 서비스(consumer advisory services)는 특정 고객의 필요에 맞춰 제공되는 맞춤형 서비스입니다. 이는 프리미엄 서비스로 간주되며, 사회에서 가장 부유한 계층을 대상으로 하는 신용 상담 서비스(credit counseling services) 유형입니다. 주요 목적은 신용등급(credit rating), 파산 대기 상태(bankruptcy status), 재무 분석(financial analysis), 사기 경보(fraud alerts) 등을 포함합니다. 개인은 포트폴리오 관리(portfolio management), 자산 관리(asset management services), 펀드 관리(fund management services) 형태의 투자 자문 서비스(investment advisory services)를 받을 수 있습니다. 이러한 서비스는 투자 자문가(investment advisors)에 의해 제공됩니다. 고객은 자문 및 관리 서비스를 한 제공업체에서 구매하거나, 자문 서비스와 투자 관리 서비스를 각각 다른 제공업체에서 구매할 수 있습니다. 소비자나 고액 자산가(high-net-worth individuals)는 종종 동일한 금융 서비스 제공업체에서 투자 자문과 관리 서비스를 받습니다. 일반적으로 이러한 선호는 대부분 충족됩니다.

전자 결제(electronic payments)는 다양한 하위 부문과 금융 서비스 카테고리를 아우르는 범주입니다. 이 카테고리에는 PayPal, Payoneer, Apple Pay, Amazon Pay, Google Pay와 같은 글로벌 서비스 제공업체가 포함되며, 유럽연합(European Union)의 Trust, 중국의 Alipay와 같은 지역적 서비스도 있습니다. PayU는 전 세계적으로 강력한 입지를 가진 또 다른 예입니다. 이 목록은 불완전하며, 지역 및 로컬 커뮤니티에서 강력한 입지를 구축한 다른 기업들도 있습니다. 금융 서비스 산업은 규제가 엄격한 산업으로, 글로벌 플레이어들은 엄격한 규제로 인해 성장이 더디게 진행되었습니다.

세계 주요 중앙은행(central banks)은 이러한 서비스를 규제하고 관련 규칙, 지침 및 규정을 제정하는 책임이 있습니다. 글로벌 입지를 구축하려는 기업들은 이러한 표준을 준수해야 합니다.

전자 결제 카테고리의 최신 개발 사항으로는 블록체인(blockchain) 기술의 도입과 비트코인(Bitcoin), 이더리움(Ethereum)과 같은 가상 화폐(cryptocurrencies)의 부상이 포함됩니다. 이러한 통화는 전 세계 주요 국가나 중앙은행에서 공식 결제 수단으로 인정받지 않으며, 일부 국가에서는 사용이 금지되어 있습니다. Payza와 같은 서비스는 사용자가 비트코인을 사용하여 결제 주문을 하고, 비트코인 또는 다른 암호화폐(cryptocurrencies)를 사용하여 신용카드나 직불카드로 이체할 수 있도록 지원합니다.

전 세계 규제 당국의 기술에 대한 이해가 깊어지고, 여러 정부의 규제와 경고에도 불구하고, 사람들이 기술을 채택하고 있습니다. 이는 탈중앙화된 금융 프레임워크(decentralized financial frameworks)가 미래의 금융을 형성할 가능성이 높음을 시사합니다.

6.3 금융 산업에서의 기술 지식 프로세스

새로운 기술을 적용하는 프로세스는 이 책의 의료 서비스 장에 나오는 그림 6-3에 나와 있습니다.

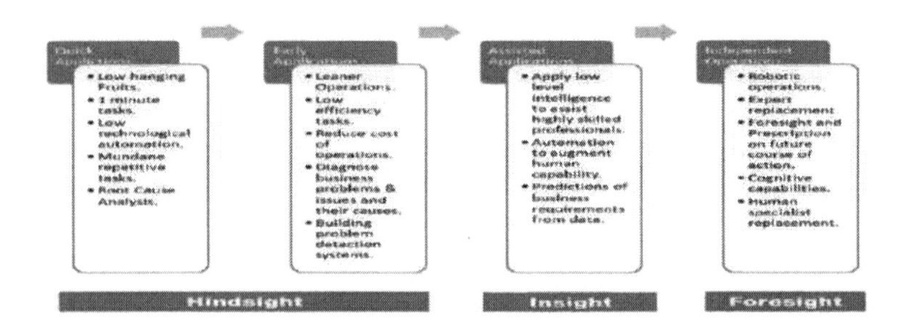

그림 6-3. 기술 채택 프로세스

금융 업계에서는 전통적으로 고객에 대한 특정 서비스 범주의 보고서를 생성하기 위해 설명적 분석(descriptive analytics)을 활용해 왔습니다. 이는 고위 경영진이 새로운 금융 상품(financial products)에 대한 조언을 구하거나, 경쟁에 대응하는 전략 변경, 최종 고객의 서비스 인식 등 다양한 의사 결정을 내릴 때 중요한 역할을 합니다. 설명적 분석은 이러한 모든 질문에 대한 유용한 답변을 제공합니다.

예를 들어, 밀레니얼 세대(Millennial generation)와 베이비붐 세대(Baby Boomer generation)의 소비 행태를 비교할 때, 5가지 주요 요약(statistical summary)을 통해 두 세대 간의 최소 및 최대 소비 행태의 차이를 알 수 있습니다. 이 정보를 바탕으로 고위 경영진은 회사의 금융 서비스를 특정 고객의 요구에 맞게 조정할 수 있습니다. 설명적 분석 없이는 이러한 통찰을 얻기 어렵습니다.

일반적인 설명적 분석의 예로는 매장별 매출 및 제품 보고서, 제품별 매출 보고서, 제품별 할인 보고서 등이 있습니다. 이 분석 방법은 상거래(commerce) 분야에서 계속해서 중요한 역할을 할 것입니다.

다음은 Python을 사용한 재무 데이터의 5가지 주요 요약을 보여주는 간단한 코드 예제입니다. 이 예제는 실제로 수백만 명의 사용자 데이터를 다루는 상황을 단순화한 것입니다. 모든 금액은 미국 달러(USD)로 표시되며, 연간 값도 포함됩니다.

Python 코드 예제를 실행하면, 베이비붐 세대의 평균 최소 지출이 $63, 25번째 백분위수가 $307.5, 중앙값이 $592.5, 75번째 백분위수가 $1,386.5이며, 최대 지출이 연간 $14,230임을 알 수 있습니다. 반면, 밀레니얼 세대의 경우 최소 지출이 $70, 25번째 백분위수가 $82.5, 중앙값이 $576.5, 75번째 백분위수가 $878이며, 대부분이 연간 최대 $12,519를 지출합니다. 이 데이터는 베이비붐 세대가 소비에서 더 큰 다양성을 보인다는 것을 시사합니다.

```
ebitda_margin = 0.14
depr_percent = 0.032
ebitda = sales * ebitda_margin
depreciation = sales * depr_percent
ebit = ebitda - depreciation
nwc_percent = 0.24
nwc = sales * nwc_percent
change_in_nwc = nwc.shift(1) - nwc
capex_percent = depr_percent
capex = -(sales * capex_percent)
tax_rate = 0.25
tax_payment = -ebit * tax_rate
tax_payment = tax_payment.apply(lambda x: min(x, 0))
free_cash_flow = ebit + depreciation + tax_payment + capex + change_in_nwc
free_cash_flow
```

중요한 것은 이러한 데이터를 평가하고 분석하는 방법을 이해하는 것입니다. 베이비붐 세대와 밀레니얼 세대의 소비 패턴을 비교할 때, 중앙값과 다양한 분위수를 통해 세대 간의 차이를 명확하게 볼 수 있습니다.

진단 분석(diagnostic analytics)의 목적은 현상의 근본 원인을 발견하는 것입니다. 예를 들어, 금융 시스템에서 사기(fraud)가 발생한 원인이나 통화 시스템이 자금 세탁(money laundering) 활동을 탐지하지 못한 주된 이유 등을 파악할 수 있습니다. 진단 분석은 이러한 질문에 대한 답을 제공할 수 있으며, 통화 리스크(currency risk)를 평가할 수 있는 다양한 방법을 포함합니다.

예측 분석(predictive analytics)은 미래 이벤트의 결과를 예측하는 데 사용됩니다. 예를 들어, 특정 금융 거래의 성공 여부나 조직의 재정적 초과 지출 가능성 등을 미리 예측할 수 있습니다. 예측 분석은 미래 상황을 예측할 수 있게 해주며, 다양한 메트릭에 대한 분석을 수행할 수 있는 머신러닝 모델을 기반으로 합니다.

규범적 분석(prescriptive analytics)은 예측 분석을 기반으로 미래를 위해 취해야 할 조치를 처방합니다. 이는 금융 거래의 실패나 성공으로 이어지는 특정 활동을 기반으로 향후 행동 계획을 수립하는 데 도움을 줍니다. 규범적 분석은 금융 산업에서 재해가 발생하기 전에 준비를 할 수 있게 해줍니다.

이러한 분석 방법들은 금융 산업에서 중요한 역할을 하며, 금융 회사들은 이 분야에서 혁신을 이루기 위해 지속적으로 노력하고 있습니다. 비즈니스 사이클과 같은 거시 경제적 현상을 예측하는 것은 여전히 도전적이지만, 정확한 예측과 분석을 통해 조직은 미래의 금융 위기에 대비하고, 경영진에게 적절한 조치를 취할 수 있는 정보를 제공할 수 있습니다.

6.4 금융 기관의 현황

전 세계 금융 부문을 살펴보면, 세 가지 주요 유형의 금융 부문이 존재함을 알 수 있습니다. 첫 번째 유형은 소비자 금융(consumer finance)으로, 이는 개인 대상의 대출(loans), 중개

(brokerage), 리스(leasing), 주식 금융(equity finance), 신용 카드(credit cards), 전당포(pawn services), 그리고 선불 대출(payday loans)과 같은 다양한 서비스를 포함합니다. 신용 점수(credit score)가 낮은 개인에게 대출을 제공하는 것은 법적으로 금지되어 있으므로, 이러한 대출은 전 세계적으로 제한적으로 이용 가능합니다. 소비자 대출 부문은 국가 인구의 대다수에게 서비스를 제공할 수 있는 잠재력을 가지고 있습니다.

이 부문에는 또한 고객에게 다양한 투자 조언(investment advice), 즉 자산 관리(asset management) 서비스와 고객 및 그들의 자산에 대한 주식 거래 방향(portfolio management)과 관련된 활동이 포함됩니다. 브로커리지(brokerage) 관행은 지역적 특성을 가지며, 대규모 자본 시장(capital markets)에서 운영되는 국제적인 브로커리지 회사는 드뭅니다.

두 번째 유형의 서비스는 다각화된 금융 서비스(diversified financial services)로, 이는 기업에 대한 재무 자문(financial advisory), 증권 거래소(stock exchanges) 및 신용 평가 기관(credit rating agencies)에 대한 투자 리서치(investment research), 신용 평가 서비스(credit rating services)를 제공하는 것을 목표로 합니다. 이 다각화된 금융 서비스 회사들은 전문 산업 분야에서 운영되며, 그들의 주요 목적은 금융 및 자문 서비스를 통해 최고의 기업과 개인을 지원하는 것입니다.

6.5 금융 산업에 대한 기계 학습의 기여

금융 산업은 인간의 행동과 상호작용에 크게 의존하는 특성을 가지고 있으며, 이는 소매(retail) 및 소비재(consumer goods) 부문과는 다른 서비스 지향적인 특성을 가집니다. 사전 승인(pre-approval)과 자산 및 자원 관리(asset and resource management)는 금융 시스템에서 기계 학습이 필수적인 역할을 하는 몇 가지 단계입니다. 특히, 사기 탐지(fraud detection)는 기계 학습이 크게 활용되는 주요 영역 중 하나입니다.

컴퓨팅 성능의 증가, 온라인 사용의 확대, 인터넷을 통한 정보의 증가는 정보 보안(information security) 위험을 증가시키는 '끊임없는 폭풍'을 만들어냈습니다. 금융 사기 탐지 프레임워크는 과거에는 자의적이고 원칙에 의존했으나, 현재는 위험 변수에 초점을 맞추고 잠재적인 새로운 보안 위협에 대해 적극적으로 학습하고 적응하는 방향으로 발전하고 있습니다.

기계 학습은 보험(insurance) 업계에서도 대출(loans)이나 보험과 같은 금융 상품의 인수에 널리 사용되고 있습니다. 대규모 은행이나 전통적인 보험 회사와 같은 조직에서는 고객 정보와 대출 또는 보험 결과에 대한 데이터를 기반으로 한 기계 학습 애플리케이션을 통해 응답을 생성하고 있습니다.

알고리즘 트레이딩(algorithmic trading)은 1970년대에 기원을 두고 있으며, 복잡한 인공 지능(artificial intelligence) 구조를 사용하여 트레이딩 결정을 내리는 방식으로, 많은 사람들이 짧은 시간 내에 채택했습니다. 고빈도 트레이딩(high-frequency trading)은 알고리즘 트레이딩의 하위 집합으로, 매일 많은 수의 거래를 실행합니다.

오늘날, 기계 학습은 비즈니스 의사결정을 조정하는 데 있어 오프라인과 온라인 모두에서 중요한 역할을 하고 있으며, 금융 전문가들 사이의 온라인 설문조사를 통해 특정 기술의 채택 수준을 평가하는 델파이 방법(Delphi method)을 사용하여 업계에서의 기술 도입 현황을 파악하고자 합니다. 이 설문조사는 금융 분야별 기술 도입의 현재 성숙도를 명확히 파악할 수 있도록 실시됩니다.

머신러닝은 금융 이슈 해결에 중요한 역할을 하며, 특히 대출, 보험, 주식 시장, 은행, 재무 및 경영 컨설팅, 회계, 전자 결제 서비스 등 다양한 금융 분야에서 유용하게 사용됩니다. 이 기술의 적용은 금융 산업의 판도를 바꾸고 있으며, 대규모 조직에게는 초기 비용 절감과 장기적인 이점을 제공합니다.

6.5.1 설문조사를 통한 금융 분야의 이해

- 보유 자산(Asset Management)
- 은행 업무(Banking Services)
- 재무 관리 및 컨설팅 서비스(Financial Management & Consulting Services)
- 회계(Accounting)
- 전자 결제 서비스(Electronic Payment Services)

주식 시장 투자는 자동화(automation)의 증가로 인해 빠르게 변화하고 있습니다. 이러한 변화는 퀀트(quantitative) 연구자들이 발견한, 때로는 의미가 불분명한 연결 고리를 기반으로 하는 브로커리지(brokerage) 거래에 영향을 미칩니다. 이러한 연결 고리는 개별 시스템의 가치를 크게 높일 수 있는 잠재력을 가지고 있음에도 불구하고, 적절한 회사가 이를 활용하여 거래를 완료할 수 있는 기회가 있습니다.

머신러닝(machine learning) 전략을 사용하는 기업들은 속도와 안정성을 최적화하기 위해 노력하고 있으며, 이는 경쟁이 치열한 비즈니스 환경에서 수익성을 유지하기 위해 필수적입니다. 은행업계에서는 대규모 정보 데이터베이스에 머신러닝을 적용하여 금융 사기를 방지하고, 고객의 시간과 비용을 절약하며, 백오피스(back-office) 기능을 자동화하는 데 도움이 됩니다.

재무 관리 및 자문 분야에서는 자산 관리 회사들이 대규모 과거 데이터를 분석하여 투자 결정을 개선하고자 AI(인공지능) 솔루션을 모색하고 있습니다. 비지도 학습(unsupervised learning) 방법을 활용하여 화폐 데이터, 뉴스 데이터, 센서 데이터 및 소셜 미디어 데이터를 결합함으로써, 투자 회사들은 시장에서 경쟁 우위를 확보할 수 있습니다.

회계 및 부기(bookkeeping) 프로그래밍은 점점 더 자동화되고 있으며, AI의 도입으로 인해 이전에는 사람의 개입이 필요했던 작업들을 수행할 수 있게 되었습니다. 이는 회계 소프트웨어가 거래 기록 위치를 제안하고, 감사자가 비정상적인 거래의 원인을 조사할 수 있도록 지원함으로써, 회계 프로세스의 효율성을 크게 향상시킵니다.

전자 결제 분야는 금융 거래 처리 방식에 혁명을 일으키고 있으며, 머신러닝은 신용카드 거래 확인과 같은 중요한 역할을 하고 있습니다. 맥킨지(McKinsey)는 데이터 수집의 증가와 데이터 처리 비용의 감소를 고려할 때, 결제 분야에서 머신러닝의 사용을 확대할 수 있는 다양한 기회가 있다고 지적합니다.

AI의 도입은 기업들이 비즈니스 모델과 프로세스를 재고하고 재창조하도록 유도하고 있으며, 특히 재무 관리 분야에서는 AI가 현재의 아웃소싱(outsourcing) 일자리의 대부분을 대체할 것으로 예상됩니다. 이는 운영 비용 절감과 비즈니스의 다양한 영역을 확장하고 지원할 수 있는 능력을 제공함으로써 기업에게 큰 영향을 미칠 수 있습니다.

7장. 금융 서비스 기관에서 AI와 머신러닝 적용하기

7.1 배경

최근 몇 년 간 기술의 급속한 발전은 사람들의 생활 방식에 근본적인 변화를 가져왔습니다. 인공지능(Artificial Intelligence, AI) 기술은 이러한 변화를 주도하는 혁신 중 하나로, 인간의 사고와 행동을 모방할 수 있는 컴퓨터 소프트웨어를 의미합니다. 금융 서비스 산업에서 AI의 도입은 위험 평가(risk assessment), 주식 거래(stock trading), 대출 처리(loan processing) 등 주요 금융 거래를 지원하며 빠르게 발전하고 있습니다.

AI 기술이 금융 전문가의 역할을 완전히 대체한다는 것은 아니지만, CFO(Chief Financial Officer)와 같은 직책을 가진 이들이 비즈니스의 핵심적이고 전략적인 측면에 더 집중할 수 있도록 지원합니다. 이 장은 다양한 금융 기능에 AI가 어떻게 적용되고 있는지, 그리고 이로 인해 직원, 재무 전문가, 비즈니스 조직에 어떤 영향을 미치는지를 탐구합니다.

7.1.1 인공 지능과 금융 지능

나이지리아 경제는 자금 세탁(money laundering)과 같은 금융 범죄의 부정적 영향을 직접적으로 경험하고 있습니다. 이에 대응하기 위해 법률이 제정되고 기관이 설립되었지만, 법 집행의 효과는 제한적입니다. 현재 EFCC(Economic and Financial Crimes Commission) 금융정보부(Financial Intelligence Unit, FIU)에서 사용하는 기술 인프라는 금융 거래에서 발생하는 방대한 데이터 양을 처리하는 데 필요한 요구 사항을 충족하지 못합니다.

이 책에서의 사례는 자금세탁 방법을 식별하고, 사기 행위를 탐지하기 위한 다양한 기술을 조사하며, AI가 EFCC FIU에서 어떻게 활용될 수 있는지를 탐구합니다. 목표는 자금세탁 탐지 방법을 식별하고, 이를 통해 EFCC FIU가 자금세탁과 관련된 의심스러운 활동을 식별하고 분석할 수 있는 실행 가능한 해결책을 제시하는 것입니다.

인공지능과 금융지능 분야는 아직 초기 단계에 있으며, 이 사례는 기존 연구를 문헌고찰하고, 자금 세탁 및 의심스러운 금융 거래를 탐지하기 위해 인공지능을 사용하는 것에 대한 권장 사항을 제공합니다. 이러한 권장 사항은 자금세탁, 머신러닝, 신경망 분야의 관련 문헌 검토와 EFCC의 연구 결과 분석을 기반으로 합니다.

이 사례는 금융 서비스 기관에서 AI와 머신러닝을 적용하는 방법에 대한 깊은 이해를 제공하며, 금융 범죄와의 싸움에서 기술의 역할을 강조합니다. 이는 금융 산업뿐만 아니라 관련 분야의 전문가와 학생들에게 유용한 자료가 될 것입니다.

7.2 금융 분야에서의 인공지능(AI)

은행 및 금융 분야에서 인공지능(Artificial Intelligence, AI)의 도입은 금융 문제 해결 방식을 근본적으로 변화시킵니다. AI는 퀀트 트레이딩(quantitative trading), 알고리즘 트레이딩(algorithmic trading), 위험 관리(risk management) 프로세스, 재무 자문(financial advisory) 서비스 등 다양한 금융 프로세스의 통합 및 개선에 큰 도움을 줍니다. 포브스(Forbes)에 따르면, 전 세계 금융 기관의 약 70%가 이미 AI를 활용하고 있으며, 이 중 60%는 자연어 처리(Natural Language Processing, NLP) 기술을 사용하고 있다고 합니다.

7.3 의료 분야에서의 인공지능(AI) 적용

의료 분야는 AI 적용으로 큰 변화를 겪고 있는 대표적인 산업 중 하나입니다. AI는 의료 진단, 임신 모니터링, 희귀 질환 치료, 임상 시험 등에서 정확성과 속도를 향상시켜 의료진과 환자의 삶을 단순화합니다. AI 기술은 진단 오류를 최소화하고, 다양한 의료 분야에서 효율성을 높이는 데 기여합니다.

7.4 인적 자원(HR) 관리에서 AI의 역할

인적 자원 관리 분야에서 AI의 통합은 직원 경험을 개선하고, 포용성 및 복리후생 관리를 강화하는 데 중요한 역할을 합니다. AI는 반복적이고 단순한 업무를 자동화하고, 편견을 줄이며, 채용 및 교육 프로세스를 효율화하는 데 사용됩니다. 이는 HR 관리자와 경영진이 인사 및 채용 프로세스에 AI를 적용하면 상당한 가치를 창출할 수 있다는 데 동의한다는 것을 의미합니다.

7.5 영업 분야에서의 AI

디지털 시대로의 전환은 전통적인 소매업체에 큰 도전을 안겨주고 있습니다. 리테일 업계에서 AI의 활용은 고객 맞춤형 쇼핑 경험을 제공하고, 쇼핑 프로세스를 간소화하는 데 도움을 줍니다. Capgemini의 연구에 따르면, AI는 리테일 업계에서 비용 절감과 효율성 향상에 크게 기여할 수 있습니다.

7.6 금융 산업의 다양한 분야에서의 AI 활용

핀테크(FinTech) 분야를 포함한 금융 산업 전반에서 AI의 적용은 비용 절감, 시간 절약, 제품 가치 향상을 목표로 합니다. 로보 어드바이저(Robo-advisors)는 AI를 활용하여 고객의 금융 행동을 분석하고, 맞춤형 조언을 제공합니다. AI는 대출 서비스, 주식 거래, 금융 범죄 탐지 등 다양한 금융 업무에 성공적으로 적용되고 있습니다.

이 챕터에서는 금융 서비스 기관에서 AI와 머신러닝을 적용하는 방법과 그 영향에 대한 깊은 이해를 제공합니다. AI의 발전은 금융 산업뿐만 아니라 의료, HR, 영업 등 다양한 분야에서 혁신을 촉진하고 있습니다. 이러한 기술의 적용은 비즈니스 프로세스를 개선하고, 효율성을 높이며, 새로운 가치를 창출하는 데 중요한 역할을 합니다.

7.6.1 대출 서비스

금융 기관의 역할에는 다양한 미시적 및 거시적 요인이 있으며, 이러한 요인들은 금융 기관이 잠재적 위험에 어떻게 대응하는지에 영향을 미칩니다. 비은행 금융기관(Non-Banking Financial Companies, NBFCs)과 은행 모두 대출을 주요 기능으로 하며, 이를 통해 상당한 수익을 창출합니다. 그러나 모든 사람이나 기업에게 대출을 제공할 수 있는 것은 아닙니다. 초기 신용 평가 과정에서는 개인이나 기업에게 돈을 빌려줄지 여부를 결정하기 위해 주로 소비자 신용 점수(Credit Score)에 중점을 두었습니다.

통계 분석(Statistical Analysis), 회귀 분석(Regression Analysis), 의사 결정 트리(Decision Trees) 등은 전통적인 신용 평가 모델에서 제한된 정보로부터 신용 점수를 도출하는 데 사용되는 몇 가지 방법입니다. 그러나 현재 금융 기관은 대출 결정 시 휴대폰 사용 데이터, SMS 활동, 은행 거래 내역, 소셜 미디어 활동 등 다양한 반정형 데이터(semi-structured data)를 평가하여 신용 점수의 정확성을 높이고 있습니다. 일부 신용 평가 솔루션은 머신러닝(Machine Learning, ML) 알고리즘을 활용하여 대출자의 상환 의지와 소비자 행동을 평가합니다.

이러한 접근 방식은 더 빠르고 비용 효율적인 방식으로 대출자의 신용도를 평가할 수 있는 새로운 가능성을 열었습니다. 인공지능(Artificial Intelligence, AI) 기술의 완전한 도입이 이루어지면, 전 세계 인구의 약 80%가 신용 서비스에 접근할 수 있을 것으로 예상됩니다. AI의 활용은 신용 접근성을 크게 개선하며, 머신러닝 알고리즘은 신용 점수 생성의 한계를 극복하고 보다 광범위한 신용 접근성을 제공합니다.

전통적인 신용 평가 모델에서는 과거 신용 정보가 부족한 잠재 고객은 신용을 받기 어려웠습니다. 그러나 AI 기술의 발전으로 금융 기관은 대출자의 상환 능력을 보다 정확하게 예측할 수 있게 되었으며, 이를 통해 보다 정보에 기반한 대출 결정을 내릴 수 있게 되었습니다.

AI 기술의 도입으로 금융 기관은 전통적인 대출 프로세스를 변화시키고 있으며, 핀테크(FinTech) 기업들의 등장은 전통적인 대출 시스템을 통해 은행의 지원을 받을 수 없는 고객들에게 새로운 기회를 제공하고 있습니다. AI 시스템을 통해 금융 기관은 방대한 양의 데이터를 신속하게 분석할 수 있게 되었으며, 이는 다양한 유형의 신용 상품을 제공할 수 있는 새로운 가능성을 열어줍니다.

AI의 통합은 금융 기관이 직면하는 전반적인 위험을 줄이는 데 도움이 될 것입니다. 머신러닝 알고리즘은 대량의 데이터에 대한 예측 분석을 수행하여 사기성 거래를 추적하는 등의 복잡한 작업을 수행할 수 있습니다. 이는 금융 기관이 보다 효율적이고 정확한 신용 평가를 수행할 수 있게 하며, 궁극적으로는 신용 서비스의 접근성과 품질을 향상시킵니다.

7.7 기업, 직원 및 금융 전문가가 AI를 사용하는 방법

인공지능(AI)은 금융 전문가뿐만 아니라 기업과 그 직원들에게도 유익한 다양한 금융 활동에서 중요한 역할을 합니다. 이는 모든 관련자에게 상호 이익이 되는 상황을 만듭니다.

7.7.1 금융 업계 전문가

AI의 활용은 반복적인 작업을 줄이고, 더 중요한 업무에 집중할 수 있는 시간을 늘리는 등 회계 분야에 변화를 가져올 것입니다. 디지털 시대로의 전환으로 인해, 고객사는 많은 프로세스를 디지털화하고 있으며, 이로 인해 회계사 및 감사 전문가가 검토해야 할 문서와 스프레드시트의 양이 증가하고 있습니다. 감사 및 회계 분야에서 AI를 활용하면, 데이터 입력 및 분석 프로세스의 속도를 높여 생산성을 향상시킬 수 있습니다. AI는 금융 부문에서 일하는 모든 사람이 시스템 내에서 발생하는 모든 거래를 쉽게 추적할 수 있도록 도와줍니다.

AI와 머신러닝 기술은 재무 데이터를 자동으로 분류하고, 한 곳에서 분석할 수 있는 종합적인 재무 보고서를 생성합니다. 이러한 보고서는 기업이 재무 계획을 개선할 수 있는 깊은 통찰력을 제공합니다. 머신러닝은 시간이 지남에 따라 데이터를 처리하면서 더 깊은 인사이트를 얻게 되므로, 기업은 장기적인 지출 패턴을 완벽하게 파악할 수 있습니다.

AI 기반 기술을 활용하면, 감사자와 회계사가 금융 사기를 더 효과적으로 감지할 수 있습니다. 현대적인 결제 방법을 사용하는 직원들의 다양한 지출 범주로 인해, 규정 미준수 및 금융 사기의 위험이 커집니다. AI 기술은 재무 데이터의 다양한 이상 징후를 식별하고 추세를 예측하여, 재무 보고서의 100%를 검토할 수 있도록 도와줍니다.

7.7.2 기업 및 기타 사업체

AI는 비즈니스 의사결정을 코딩하고 프로세스를 자동화하는 데

그치지 않고, 전 세계 대부분의 기업이 경쟁 우위를 확보하고 지식을 심화하기 위해 AI를 활용할 것입니다. AI는 기업이 고객과의 상호 작용을 자동화하고, 데이터를 분석하여 고객 서비스 커뮤니케이션을 자동화하는 데 도움을 줍니다. AI 기반 챗봇은 수많은 사용자와 동시에 연결할 수 있으며, 웹사이트나 앱에서 호스팅되는 대화를 시작하고 응답할 수 있습니다.

데이터 분석 애플리케이션을 통해 기업과 기타 비즈니스 주체는 미래 이벤트에 대한 정확한 예측을 할 수 있습니다. 예를 들어, 예측 분석은 소비자 데이터에서 판매 중인 제품의 판매 가능성과 예상 판매량을 예측할 수 있습니다. AI는 또한 특정 제품에 대한 수요가 언제 감소할지 예측할 수 있으며, 이를 통해 기업은 필요한 자재를 적절한 수량으로 조달할 수 있습니다.

AI의 도입은 기업의 데이터 처리 프로세스를 간소화하고, 공유된 데이터에서 비즈니스에 필요한 더 깊은 인사이트를 얻을 수 있도록 도와줍니다. 비정형 데이터의 검색과 분석은 향후 수년간 모든 비즈니스를 조직화하는 데 중요한 역할을 할 것입니다.

7.7.3 직원

현대 비즈니스 환경에서, 대다수의 계산원과 매출채권 담당자는 고객이 청구서를 일시에 정확한 금액으로 지불하지 않거나, 송장 번호를 제공하지 않는 등의 문제에도 불구하고, 청구서 결제를 위해 노력합니다. 이러한 상황에서, 직원은 수많은 청구서를 수집하여 결제 금액과 일치하는지 확인하거나, 필요한 정보를 명확히 하기 위해 고객에게 연락해야 할 수 있습니다. 그러나 인공지능(AI)의 도입으로, 결제 금액과 유사한 인보이스를 즉각적으로 제안하여 이러한 문제를 해결할 수 있습니다. AI 기술은 과거 경험에 기반한 설정된 임계값을 통해 고객의 모든 단기 결제를 자동으로 처리하도록 돕습니다.

AI는 은행 직원의 리스크 평가를 지원할 수 있습니다. 재무 담당자는 프로젝트의 규모, 업종, 성숙도, 현재 시스템 환경, 구현할 상품의 복잡성 등 다양한 고객 특성을 고려하여 각 프로젝트를 개별적으로 평가해야 합니다. 이 과정은 프로젝트 제안 평가의 일환으로 수행됩니다. AI의 활용으로, 팀은 조직이 지금까지 완료한 프로젝트와 관련된 모든 데이터에 접근할 수 있게 되며,

이 과거 데이터를 활용해 제안된 프로젝트를 이전의 모든 프로젝트와 비교하여 보다 정보에 기반한 리스크 평가 결정을 내릴 수 있습니다.

AI는 또한 기업이 더 나은 공급망 관리를 실천할 수 있도록 지원합니다. 고객의 기대치가 계속해서 높아지는 상황에서, 전통적인 공급망 시스템은 고객에게 적합한 제품을 제공하고 변화하는 소비자 요구를 충족하는 데 어려움을 겪고 있습니다. 기업은 기술과 고급 스마트 소프트웨어 분석을 활용하여 비즈니스 방식을 재설계할 것이 권장됩니다. AI를 통한 공급망 관리는 기업이 전체 공급망에 걸쳐 데이터 기반 인사이트를 생성하도록 도와, 혁신과 고객 니즈에 대한 전략적 비전을 중시함으로써 예측 프로세스의 정확성을 높입니다.

7.8 조직 내 인공지능 관련 기능의 적용 사례

이 연구는 대형 국제 금융회사에서 근무하는 금융 전문가들을 대상으로 한 체계적 인터뷰를 통해, 금융 관련 업무에 AI가 어느 정도 적용되었는지를 조사했습니다. 조사 결과, 대부분의 금융 기관이 리스크 관리, 주식 거래, 대출 프로세스에 AI를 통합했으며, 회계 및 감사 전문가들 사이에서 AI를 활용하면 회계 및 감사 프로세스가 크게 간소화된다는 공감대가 형성되어 있습니다. 금융 자문 서비스 분야에서도 로보 어드바이저를 포함한 AI의 광범위한 활용이 확인되었습니다.

AI의 도입은 금융 뉴스 분석, 시장 행동 및 추세 예측, 감정 분석 등 다양한 금융 분야에서 활용되고 있으며, 이는 모든 기업에 필수적인 도구로 자리잡고 있습니다. AI 기술을 통한 예측 분석은 고객에게 상황 개선 방안을 제시하는 전담 재무 자문가 역할을 할 수 있으며, 챗봇과 같은 가상 에이전트는 기업이 최소한의 인간 상호 작용으로 고객과 효율적으로 협업할 수 있도록 지원합니다.

이 사례는 금융 분야에서 AI와 머신러닝의 다양한 적용 사례를 조명하며, 이러한 기술이 금융 시장의 동향을 이해하고 예측하는 데 어떻게 기여할 수 있는지를 보여줍니다. AI의 발전은 금융 분야의 전문가들이 보다 효율적으로 업무를 수행하고, 기업이 경쟁력을 유지하며, 고객의 요구를 충족시키는 데 중요한 역할을 할 것입니다.

7.8.1 개인 데이터 보호 및 온라인 보안

딥러닝 시스템의 등장으로 엔지니어링 및 데이터 전처리 비용이 대폭 감소하였습니다. 최근 많은 은행 및 금융 기관이 우수한 고객 경험을 제공하기 위해 애플리케이션에 인공지능(AI)을 도입하기 시작했습니다. 이로 인해 계좌 개설, 계좌 간 이체, 청구서 납부 등의 거래가 모바일 뱅킹 애플리케이션을 통해 자동으로 이루어지게 되었습니다. AI 챗봇은 자연어 처리(NLP)를 활용하여 은행 및 기업 고객에게 신속하고 효율적인 서비스를 제공합니다. 챗봇은 사용자가 현재 위치에서 이동할 필요 없이 자주 묻는 질문에 대한 답변을 제공하고 데이터를 신속하게 제공합니다. 연구에 따르면, 상업 은행은 AI를 활용하여 대출 손실을 줄이고, 결제 보안을 강화하며, 규정 준수 프로세스를 자동화하고, 고객 접점을 개선할 수 있습니다.

사이버 보안은 AI뿐만 아니라 정보통신 기술(ICT) 전반에 걸쳐 오랜 기간 동안 중요한 이슈였습니다. 그러나 데이터 보호는 데이터 보안과 밀접하게 연결되어 있습니다. AI 시스템은 새로운 유형의 보안 위협에 취약할 수 있습니다. 멀웨어 식별은 컴퓨터 보안에서 중요한 도전 과제 중 하나입니다. Surya(2019)는 머신러닝이 다양한 해킹 공격을 사전에 탐지하고 네트워크 보안을 강화하는 데 어떻게 도움이 될 수 있는지 설명했습니다. 따라서 맬웨어 방지, 스파이웨어 방지, 개인 방화벽, 취약성 평가, 호스트 기반 침입 방지 시스템 등은 모든 비즈니스에 필수적인 요소입니다. 최고 수준의 보안 프로토콜에도 불구하고, 시스템 취약점은 멀웨어 제작자에게 주요 도구가 되었습니다.

악성코드를 식별하는 데 사용되는 두 가지 주요 전략은 서명 기반 탐지와 이상 징후 기반 탐지입니다. 피싱 탐지, 스팸 탐지, 악성코드 탐지, 침입 탐지, 사기 탐지는 Kumar와 Ravi(2016)가 보안 애플리케이션에서 사용하기 위해 분류한 다섯 가지 하위 범주입니다. 이들은 비정상적인 관점에서 악성코드를 분석하는 연구도 수행했습니다. 이메일 시스템의 이상 탐지 기능을 활용하여 특정 이메일이 정상인지 스팸인지를 판별할 수 있었습니다. 그들은 확률 학습 기반 약추정자(SLWE), 최대 확률 추정자(MLE) 등을 포함한 다양한 약추정자를 제안하여 기존 모델에서 벗어난 이벤트 분포를 추정했습니다.

7.9 서비스

인공지능(AI)과 금융 분야의 적용에 관한 기사는 많지만, 연구 기반의 기사는 드뭅니다. 이로 인해 금융 서비스에 AI를 통합하고 그 이점을 매핑하기 위한 체계적인 학술 연구가 부족합니다. 질적 연구를 통해 결과를 도출하는 이 지속적인 연구는 AI와 금융 이론의 발전에 기여하고 있습니다. 연구 결과는 AI를 통합한 금융 기능의 수와 이러한 기능을 더욱 체계적이고 유용하게 만드는 애플리케이션을 보여줍니다. 이 연구는 직원, 금융 전문가, 비즈니스 조직이 해당 분야에서 AI를 활용하여 혜택을 받고 있음을 보여줍니다. 이 연구 결과는 모든 기업이 재무 프로세스에 AI를 통합해야 하는 여러 가지 이유를 제시합니다.

AI가 대부분의 재무 기능을 강화하는 것은 분명하지만, 이것이 회계 및 재무 업무를 AI가 완전히 대체하거나 재무 전문가를 대체할 것이라는 의미는 아닙니다. AI 소프트웨어가 많은 반복적인 회계 및 감사 작업을 인간보다 훨씬 빠르게 수행할 수 있지만, 인간은 여전히 AI 기술로 생성된 데이터를 해석해야 합니다. 가트너의 최신 분석에 따르면, AI는 일자리를 없애는 것보다 더 많은 일자리를 창출할 것입니다. 회계사 및 재무 전문가는 장기적으로 업무 자동화에 대해 걱정할 필요가 없으며, 기업은 항상 AI로 생성된 데이터를 분석할 재무 전문가를 필요로 합니다. AI 기술은 금융 전문가가 고객에게 제공하는 서비스의 품질을 개선하는 데 도움이 됩니다.

AI를 사용하면 데이터 입력의 정확성을 높이고, 금융 사기를 감지하며, 금융 전문가에게 실시간 데이터를 제공하고, 고객에게 제공되는 솔루션의 품질을 개선하는 데 도움이 됩니다. AI가 100% 효율적으로 작동할 수 있다고 확신할 수는 없지만, 인간이 만든 오류를 줄이는 데 도움이 될 수 있습니다. 초기에는 어려움이 있을 수 있지만, 대부분의 금융 기관은 금융 서비스에 AI를 구현하기 위해 상당한 노력을 기울이고 있으며, 이는 장점이 단점보다 크기 때문입니다.

8장. 금융 분야의 인공지능, 머신러닝 그리고 빅데이터

8.1 개요

인공지능(AI: Artificial Intelligence) 시스템은 다양한 수준의 자율성을 지닌 기계 기반 시스템으로서, '빅 히스토리(Big History)'로 불리는 방대한 양의 대체 데이터 소스 및 데이터 분석을 활용하여 인간이 정의한 특정 목표에 대해 예측(prediction), 추천(recommendation) 또는 판단(judgment)을 수행할 수 있습니다. 이 데이터는 인간의 직접적인 교육 없이 다른 데이터 세트에서 학습을 통해 스스로 개선하는(Self-improvement) 머신러닝(Machine Learning) 모델을 구동하는 데 사용됩니다.

코로나19(COVID-19) 위기는 이미 관찰되던 디지털화(digitalization) 경향, 특히 인공지능을 활용한 변화를 가속화했습니다. 여기에는 자산 관리(Asset Management), 알고리즘 트레이딩(Algorithmic Trading), 대출(Lending), 블록체인(Blockchain) 기반 금융 서비스 등 금융 분야에서 인공지능 활용이 증가하고 있는데, 이는 막대한 양의 데이터와 컴퓨팅 파워의 증가 덕분에 가능해진 것입니다. 결과적으로 이는 더 저렴하고, 더 효율적인 방식으로 이루어지게 되었습니다.

금융 분야에서는 금융 서비스 공급자들이 AI를 적극적으로 채용하고 있으며, 이는 개인 및 상업 은행 서비스(맞춤형 상품, 챗봇(Chatbot)을 이용한 고객 서비스, 신용 평가 및 보고, 신용 손실 예측, 자금 세탁 방지(Anti-Money Laundering), 사기 탐지 및 방지, 로보 어드바이저(Robo-advisor) 등의 자산관리) 및 사물 인터넷(IoT: Internet of Things)까지 포함됩니다. AI는 의료(Healthcare), 자동차(Automotive), 소비재(Consumer Goods), 사물 인터넷(IoT)과 같이 다양한 산업 분야에서 이미 상품과 서비스에 적용되고 있습니다.

자연어 처리(NLP: Natural Language Processing)와 기타 컴플라이언스(compliance) 애플리케이션은 공공 부문에서 AI가 규제 및 감시 활동에 활용되고 있는 예입니다. 빅데이터를 활용한 AI와 ML의 적용은 앞으로도 점점 더 중요해질 것으로 예상되며, 금융 서비스 부문에서 AI의 채택이 가져올 수 있는 잠재적 위험에 대해 우려가 증가하고 있어, 정책 입안자들의 관심이 요구됩니다. 이미 일부 국가의 정책 입안자들과 국제 포럼에서는 금융 서비스에 AI 적용 시 발생할 수 있는 위험을 완화하는 방법과 AI 사용이 금융 서비스에 도입하기 위한 정치적으로 적절한 접근 방식이 무엇인지 논의하고 있습니다. 이러한 논의에서 주된 초점은 규제 기관이 금융 서비스에 AI를 적용함으로써 발생할 수 있는 위험을 어떻게 완화할 수 있는지에 대한 방법론에 맞춰져 있습니다.

그렇다면 정책은 어떻게 산업의 혁신을 촉진하면서 동시에 이러한 제품과 서비스를 둘러싸고 있는 시장의 공정성(fairness), 질서(orderliness), 투명성(transparency)을 보장하고 소비자와 금융 투자자(financial investor)를 적절하게 보호할 수 있을까요? 인공지능은 몇몇 산업에 대한 게임 체인저(game-changer)가 될 잠재력을 지니고 있지만, AI 사용으로 인해 발생할 수 있는 새로운 위험성 때문에 최근 몇 년 간 점차 중요성을 갖는 정치적 이슈로 떠올랐습니다. 2019년 5월, 경제협력개발기구(OECD: Organisation for Economic

Co-operation and Development)은 인공지능 원칙을 채택하였으며, 이는 신뢰성 있는 인공지능의 책임 있는 사용을 위해 정부가 도입한 최초의 국제 표준이며, 여러 이해 관계자로 구성된 전문가 그룹의 지침에 따라 개발되었습니다. AI, ML, 빅데이터에 대한 이러한 검토는 금융시장위원회(Financial Markets Committee)의 2021-2022년 업무 계획 및 예산에 포함되어 있습니다.

금융 분야에서 AI/ML 및 빅데이터가 금융 시장의 특정 부문에 어떤 영향을 주고 있는지, 이러한 혁신적인 메커니즘이 비즈니스 모델을 어떻게 변화시키는지 조사하며, 이 기술들의 적용과 관련된 혜택과 위험을 분석할 뿐만 아니라, 일부 시장에서의 자금세탁규제 활동과 규제 기관의 접근 방식에 대한 최신 정보를 제공합니다. 또한 이 분야의 업계 그룹에서 진행된 토의에 대한 정보도 담고 있습니다.

보험 산업에서 AI와 빅데이터의 적용은 OECD의 민간보험 및 연금위원회에서도 검토되었지만, 본 저서에서는 별도로 다루지 않습니다. 본문에 담긴 논의와 분석은, 첫째는 정책 입안자와 국제기구(International Organization)가 진행 중인 논의에 대한 정보를 제공하며, 둘째는 아직 충분히 탐구되지 않은 인공지능, 금융 및 정치의 상호작용에 대해 조명하는 것입니다.

또한 자산 관리, 알고리즘 트레이딩, 대출, 블록체인 기반 금융 상품 등 금융 시장에서 특정 분야에 미친 AI, ML 및 빅데이터의 영향과 이 기술들이 이미 존재하는 리스크와 어떻게 상호 작용하는지에 대한 심층적인 분석이 필요합니다. 예를 들어 위에 언급한 분야에서는 유동성(liquidity), 변동성(volatility), 융합(convergence) 등이 문제될 수 있습니다. 금융시장위원회의 금융 및 디지털화 전문가 그룹은 이 보고서를 작성하였고, 위원회는 4월 회의에서 이 보고서를 검토하였습니다. 위원국대표단은 서면 절차를 통해 또는 2021년 7월 23일까지 이 보고서의 공개 동의 및 최종 의견 제출, 발행 승인에 대한 권고사항을 검토할 것입니다.

8.1.1 빅데이터, 인공지능 시스템 및 머신러닝의 활용

OECD AI 전문가 그룹(AI Group of Experts, AIGO)은 인공지능 시스템을, 인간이 정의한 일련의 목표에 대해 실제 또는 가상 세계에서 영향을 미치는 예측, 추천, 판단을 내릴 수 있는 기계 기반의 시스템으로 정의합니다. OECD는 기계 또는/및 인간의 입력을 활용하여 실제 및/또는 가상의 환경을 인지하고, 이 정보를 모델로 요약(예: 머신 러닝 또는 수동 자동화), 모델 추론을 활용하여 정보 또는 조치 옵션을 도출하는 AI 시스템이 인간으로부터 점차 독립적으로 작동할 수 있도록 개발되고 있음을 밝히고 있습니다.

8.2 금융 분야의 AI/ML, 빅데이터: 금융 이해관계자의 비즈니스 모델/활동에 대한 혜택과 영향

금융 서비스 산업에서는 빅데이터의 활용가능성이 증가하면서, AI와 ML 기술이 금융 서비스 제공자들에게 경쟁 우위를 제공하는 역할에 있어 촉매 역할을 해왔습니다. 머신러닝 모델은 급증하는 데이터 양과 분석(빅데이터)을 처리할 수 있으며, 이를 통해 인간의 능력을 초월하여 숨겨진 신호를 식별하고 데이터의 내재적 관계를 탐색할 수 있습니다. 클라우드 컴퓨팅과 같은 상대적으로 저렴한 컴퓨팅 리소스를 통해 이러한 처리가 가능해졌습니다.

금융 부문에서 AI, ML, 빅데이터의 활용은 기업의 경쟁력을 강화하고, 비용 절감 및 금융 서비스 상품의 품질 향상을 이루어낼 것으로 기대됩니다. 이는 비즈니스 프로세스를 보다 효율화하고 고객 요구에 부합하는 서비스를 제공함으로써 달성됩니다(미국 재무부, 2020). 본 절에서는 AI와 빅데이터가 자산 관리, 투자, 거래, 대출, 데이터 애플리케이션 등 금융 시장과 관련된 특정 분야에 미칠 수 있는 잠재적 영향을 살펴봅니다.

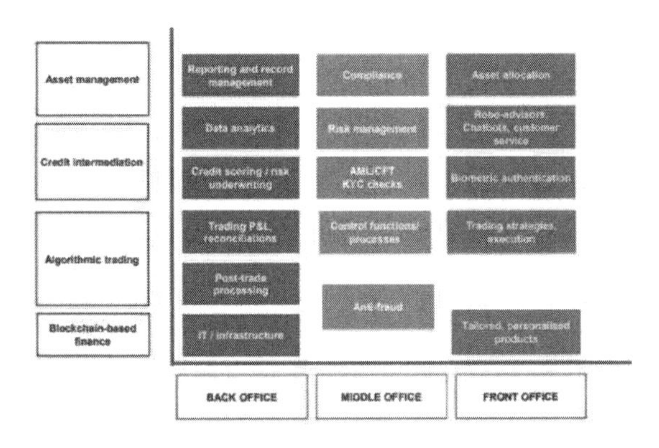

그림 8.1. 특정 금융 시장 활동에서의 인공지능 적용 사례

8.2.1 자산 관리 및 투자 커뮤니티의 포트폴리오 배분 접근 방식

자산 관리에서 AI와 ML을 도입함으로써, 투자 워크플로우의 효율성과 정확성, 수익성, 리스크 관리, 고객 경험 등 여러 측면에서 긍정적인 변화의 잠재력이 있습니다.

자연어 생성(NLG: Natural Language Generation)은 재무 설계사들이 클라이언트 데이터를 분석하고 보고하는 과정에 '인간적' 요소를 더하고 이를 단순화하는데 활용될 수 있습니다. 이 기술은 머신러닝 모델이 일상적으로 수백 개의 위험 요소를 모니터링하고 수천 개의 다양한 경제 및 시장 데이터를 바탕으로 포트폴리오의 성과를 평가하는 과정을 통해, 자산 관리자들의 리스크 관리 능력을 향상시킬 수 있습니다. AI의 운영상 이점은 투자 관리자들의 비용을 절감하고, 수동적인 작업을 자동화하며, 처리 속도를 높여 잠재적인 비용 절감을 가능하게 합니다.

특정 AI 기술을 적용하는 방식에 따라, 빅데이터 ML 모델이 자산 관리자에게 포트폴리오 배분 결정이나 자산 선택에 도움을 줄 수 있는 권장 사항을 제공할 수 있습니다. 전통적인 데이터 세트를 대체한 빅데이터는 이제 상품화되어 광범위한 투자자들에게 접근 가능해졌습니다. 자산 관리자들은 투자 과정에서 필요한 정보 습득을 위해 빅데이터를 활용합니다.

정보는 항상 금융 세계에서 중요한 역할을 해왔으며, 펀더멘탈 분석, 체계적인 트레이딩, 퀀트 전략과 같은 다양한 투자 방법론의 핵심이 되어왔습니다. 구조화된 데이터는 이러한 '전통적' 전략을 지원하는 한편, 대량의 원시 또는 비정형 데이터는 이제 AI를 활용하여 해당 전략을 구현하는 투자자에게 새로운 정보원으로 잠재력을 부여합니다. 자산 관리자는 다양한 출처의 방대한 양의 데이터를 AI를 통해 처리한 후, 그것을 전략적 결정을 내리는데 활용할 수 있는 인사이트로 신속히 전환할 수 있습니다.

8.3 금융 서비스 제공 및 신용 능력 평가

핀테크 은행과 대출 기관은 잠재적 대출자의 신용도 평가와 대출 승인 결정을 내리는 중요한 두 가지 역할을 수행하기 위해 AI와 빅데이터 기반의 모델을 점점 더 많이 활용하고 있습니다. 신용 평가 분야에서 ML 모델은 특히 정보가 부족한 경우에도 일반적인 통계 모형(예: 로지스틱 회귀)보다 높은 예측 정확도를 가진 채무 불이행 위험을 평가하는 데 사용됩니다. 금융 중개업체도 AI 시스템을 활용하여 사기를 탐지하고, 대출자 간의 관계 분석을 수행함으로써 대출 포트폴리오를 보다 효과적으로 관리할 수 있습니다.

신용 위험 평가는 빅데이터의 접근성 증가와 그 데이터 분석을 가능케 하는 AI 기반 분석 모델 덕분에 극적으로 변화하였습니다. 가능하다면, AI 기반 신용점수 모델은 기존의 신용 데이터뿐만 아니라, 신용과 직접적인 연관이 없는 대량의 데이터(예: 소셜 미디어, 디지털 풋프린트, 트랜잭션 데이터)를 혼합하여 사용합니다.

AI를 활용한 신용 평가는 언더라이팅 비용을 줄이고, 제한적인 신용 기록을 가진 고객('신파일' 또는 '라이트 파일' 고객)에 대한 신용 평가를 가능하게 할 수도 있습니다. 이는 특히 실적 데이터나 물리적 담보 없이도 수익성을 증명할 수 있는 기업들에게 대출 기회를 제공하며, 이는 신용 접근성을 향상시키고 중소기업 자금 조달의 장벽을 낮추어 실물 경제의 성장을 지원할 수 있습니다. 기존의 경험적 연구는 신용 시장에 존재하는 정보의 불균형을 해소하는데 도움이 될 수 있습니다.

대체적인 신용 평가 방법을 사용함으로써, 전통적으로 서비스를 받기 어려웠던 고객군, 예를 들어 주요 은행 고객이 아닌 사람들이나 비은행 부문의 고객들에게 대출 승인률을 높이고 금융 포용성을 촉진할 수 있습니다. 이러한 시장 세그먼트의 예로는 600점에서 700점 사이의 신용 점수를 가진 고객들이 있습니다. 하지만 이러한 AI 기반 신용 점수 모델은 긴 신용 주기나 경기 후퇴 등의 시장 환경 하에서의 테스트가 부족하며, 결과적으로 신용 집중 전략을 지지하는 충분하고 강력한 경험적 증거가 없습니다. 예를 들어, 일부 연구에 따르면 ML 모델을 활용한 신용 위험 평가가 대부분의 인종 그룹에게만 유리하게 작용할 수 있다고 합니다. 다른 연구에서는 자금 세탁 예측을 바탕으로 한 신용 결정 규칙이 개인 대출 시장에서 인종적 편견을 줄이는 데 도움이 된다는 결과를 보여주었습니다.

8.3.1 AI 기반 대출 및 머신러닝 기반 신용 점수 시스템의 투명성과 공정성

AI 및 ML 기반 모델은 신속하고 효율적인 '비점수화'된 위험 평가의 잠재력을 지니고 있음에도 불구하고, 차별적이거나 불공정한 대출 가능성을 증가시키며, 신용 결과에 차별적인 영향을 끼칠 수 있는 위험이 있습니다. 금융 업계의 다른 AI 응용 분야와 마찬가지로, 이러한 모델은 사용되는 데이터의 질과 모델의 투명성 혹은 설명 가능성에 대한 문제를 부각시키고 있습니다. 설계에 있어 최선을 다하더라도, 머신러닝 알고리즘이 의도치 않게 특정 집단을 차별하는 결과를 내놓을 수 있으며, 특히 인종, 성별, 민족, 종교 등의 변수에 대한 편향을 가져올 수 있습니다. 적절한 구조화 및 규제가 이루어지지 않은 AI/ML 모델은 대출 차별을 탐지하기 어렵게 만들고, 기존의 편견을 심화시킬 수 있습니다.

AI/ML 기반 위험 평가 모델에 있어서 '가비지 인, 가비지 아웃(Garbage In, Garbage Out)' 위험은 주요한 문제입니다. 불충분한 데이터는 미표기 혹은 오류표기, 인간의 편견을 반영하거나 부적절하고 불완전한 정보일 수 있습니다. '빅 데이터'라 할지라도, 적은 양의 데이터로 학습된 머신러닝 모델은 잘못된 결과를 내놓을 가능성이 큽니다.

반대로, 고질적인 데이터로 훈련된 신경망에 부족한 데이터가 주입되면, 신뢰할 수 없는 결과들이 발생할 수 있습니다. 이는 머신러닝 모델의 설명 불가능성과 결합되어, AI 기반 응용 프로그램에서 부적절한 데이터 사용을 탐지하고 감지하기 어렵게 만들 수 있습니다. 품질이 낮거나 부적절한 데이터의 사용은 부정확하고 편향된 결정으로 이어질 수 있으며, 이는 해당 모델을 사용하는 기업이 인지하기 어려울 수 있습니다. 대신, 알고리즘은 중립적으로 보이는 데이터 포인트들을 연계해서, 인종이나 성별과 같은 불변의 속성을 나타내는 것처럼 다룸으로써, 기존의 차별 금지법을 우회할 가능성이 있습니다.

예를 들어, 대출 담당자가 모델에 성별 차이를 포함하지 않으려 노력함에도 불구하고, 모델이 거래 활동을 기반으로 성별을 추정하고 그 정보를 신용 점수 평가에 사용하여 법을 우회할 수 있습니다. 또한, 사용되는 데이터에 내재된 편견과 모델이 편향을 이미 가진 외부 데이터 소스로부터 학습될 수 있는 상황은, 이전의 편견이 반복되는 결과로 이어질 수 있습니다. 설명 가능성의 부족은 결정의 이해, 추적 또는 재현이 어렵게 만들며, 이는 금융업계에서 AI 애플리케이션에 있어 투명성에 문제를 일으키고 있습니다. 대출 결정에 있어 설명 가능성 문제는 대출자가 자신의 결정에 대한 책임을 지고, 승인 거부된 대출에 대한 이유를 설명할 것을 요구받기 때문에 특히 중요합니다.

이는 또한, 고객이 부당한 신용 점수를 인식하고 대처하는 데 있어서 기술이 제한되어 있으며, 신용 점수를 개선하기 위해 취해야 할 조치에 대한 이해가 낮을 수 있음을 의미합니다. 이러한 제한으로 인해, 선진국에서는 신용 위험 평가 시 특정 데이터 요소의 사용을 금지하는 법적 규제를 마련하고 있습니다(예: 미국에서 인종 데이터 관련 규정, 영국에서 보호되는 우편번호 및 카테고리 데이터).

많은 국가에서 차별 금지 원칙을 촉진하는 규제가 마련되어 있으며, 예를 들어 미국의 공정 대출 법률같은 경우가 있습니다. 전 세계의 규제 기관들은 AI/ML 및 알고리즘이 가져올 수 있는 편향과 차별의 잠재적 위험성을 평가하고 있습니다. 예를 들어, 영국은 디지털 시장법(Digital Markets Act)의 형태로 규제 제안을 발표함으로써 빅테크와 같은 '게이트키퍼'가 되는 디지털 플랫폼을 규제하기 위해 사전적 프레임워크를 구축하는 것을 목표로 하고 있습니다. 이 제안은 위험 중 일부를 완화하고 디지털 시장을 보다 공정하고 개방적으로 만들려는 시도의 일환입니다.

8.4.1 블록체인 기반 금융 활동에서 인공지능의 사용

최근 몇 년간 블록체인과 같은 분산 원장 기술(DLT)의 이용이 금융 부문을 비롯한 다양한 산업에서 증가했습니다. 블록체인 기반 애플리케이션은 자동화와 중개자의 배제를 통해 속도, 효율성, 투명성을 향상시킬 수 있는 잠재력을 가지고 있습니다. 특히, 암호화폐와 같은 새로운 형태의 금융 자산의 출현은 이러한 기술의 성장을 상당 부분 촉진하고 있습니다(OECD, 2020). 금융 시장의 DLT 도입은 증권 발행, 거래 후 처리, 결제, 중앙은행 디지털 화폐, 스테이블코인, 자산 토큰화, 그리고 금융 주체들의 역할과 비즈니스 모델의 변혁에 대한 폭넓은 검토와 관련되어 있습니다.

그러나 현재까지의 진행 상황을 보면, 블록체인 프로젝트에서 인공지능의 적용 수준은 두 기술 간의 결합을 주장하는데 충분치 않을 수 있습니다. 블록체인 시스템에서 AI를 특정 사용 사례에 적용하거나, 특정 AI 메커니즘에서 DLT 솔루션을 활용하는 경우는 있으나, 진정한 '융합'보다는 서로 독립적으로 존재하는 형태들이 관찰됩니다.

DLT가 정보의 출처로서 AI에게 데이터를 제공하는 것은 블록체인의 불변성과 조작이 없는 특성을 활용하는 전형적인 사용 방법 중 하나입니다. 이를 통해 영지식 증명 환경에서도 사용자의 프라이버시와 기밀성을 보장하며 민감한 정보를 교환할 수 있습니다. DLT와 AI의 결합을 통해 사용자는 자신의 데이터를 더욱 효과적으로 활용하고 이익을 창출할 수 있습니다. AI는 DLT 시스템과의 자동화 및 탈중앙화를 통해 잠재적으로 효율성을 개선합니다. AI의 가장 중요한 기여는 스마트 계약의 지능화된 자동화 형태일 수 있습니다.

블록체인 네트워크에 AI를 도입하는 것은 시스템의 취약점을 줄이고 네트워크의 안전성을 강화하는데 도움이 될 것입니다. AI

는 비정상적인 활동을 탐지하고 사기나 도난을 예방하는데 유용하며, 이는 네트워크 사용자들의 신뢰를 증진시킵니다. 예를 들어, AI가 DLT 확장에 기반을 둔 금융 서비스 제공 과정에서 AML/CFT(자금세탁방지/대테러자금조달방지) 통제를 강화하는데 기여할 수 있습니다. AI의 통합은 규제 준수 절차와 위험 관리에도 도움이 될 것으로 기대됩니다.

그러나 금융 중개자가 배제되면 기존의 모니터링 및 규제하는 메커니즘의 효율성이 떨어질 수 있습니다. AI 기반 솔루션을 DLT에 통합하면 규제 기관이 자동화된 데이터 교환을 통해 더욱 효과적으로 규제할 수 있습니다. DLT 네트워크 내에서 규제 및 감독 당국이 데이터 측면에서 품질 개선의 혜택을 받을 가능성도 있습니다. AI는 그리고 데이터 관리와 공유의 견고성을 향상시킬 수 있습니다.

모든 거버넌스와 마찬가지로, DLT 공간에 AI를 통합함으로써 블록체인 기반의 금융 서비스 제공 자동화와 효율성을 높일 수 있으며, 이는 탈중앙 금융 서비스의 발전에 기여할 것입니다.

8.4.2 자가 학습 스마트 계약과 분산 원장 기술의 거버넌스: 자율 규제 체인과 탈중앙화 금융(DeFi)

자율 규제 체인은 AI 기반의 스마트 계약을 기반으로 구축될 수 있으며, 이들 계약은 네트워크의 규정과 운영을 결정하는 것입니다. 멀지 않은 미래에 인공지능 기술이 지능형 자동화, 스스로 학습 및 적응, 그리고 온체인 거버넌스를 통해 완전한 자율성을 가진 블록체인을 만들 수 있을 것으로 전망됩니다. 탈중앙화 자율 조직(DAO)은 인공지능을 기반으로 만들어지며, DAO는 이미 다양한 형태로 존재하지만, AI 기술의 발전은 이러한 조직의 출현과 기능을 가속화할 것입니다.

실질적으로, 모든 온체인 거버넌스는 AI에 의해 동작하는 자가 학습 가능한 스마트 계약에 의하여 구동될 수 있고, 이는 DeFi 또는 기타 블록체인 기반 금융 서비스에 적용될 혁신적인 기능들을 제공할 것입니다. 그러나 이와 같은 자동화가 가져올 윤리적 문제와 기술적 도전은 아직 대응책이 충분히 마련되지 않은 상황입니다.

인공지능과 블록체인의 통합은 금융 서비스 제공에서의 효율성과 자동화를 강화할 수 있지만, 동시에 이러한 기술들이 수용되는 방식과 그 결과에 대한 윤리적, 규제적 고려사항을 필요로 합니다.

8.5 인공지능, 머신러닝, 빅데이터에 따른 위험과 이를 감소시키기 위한 가능한 도구들

금융 시장에서 AI(인공지능) 및 ML(머신러닝) 기술의 적용 규모가 증가함에 따라 여러 리스크가 부상하고 있습니다. 이에 대한 관심과 검토가 필요한 그룹은 업계 참여자, 사용자, 정책 입안자들입니다. 도전 과제는 데이터의 품질, 모델 및 비즈니스 운영, 사회적 차원, 시스템 적정성 등 다양한 영역에서 나타날 수 있습니다. 본 섹션에서는 금융 분야에 AI 기술을 적용할 때 고려해야 할 주요 과제들과 함께, 위험을 완화할 수 있는 잠재적 방법들을 고찰합니다. 본 장은 금융 분야에서 AI 기술을 활용할 때 발생할 수 있는 도전과 리스크를 다루며, 데이터 관리의 어려움, 편향의 가능성, AI 모델의 설명 가능성, 견고성과 복원력, AI 시스템의 거버넌스 및 책임성, 법적 이슈, 리스크와 전문성

부족 등의 주제를 다룰 예정입니다.

8.5.1 데이터 관리

데이터는 모든 AI 애플리케이션의 기초로, 고품질의 제품 및 서비스 제공을 통해 생산성을 높이고 비용을 절감하며 고객 만족도를 향상시킬 수 있습니다. 본 섹션에서는 대규모 데이터 활용이 금융 상품 및 서비스에서 발생할 수 있는 비재무적 리스크의 주요 원인이 될 수 있는 방법을 검토합니다. 이러한 위험은 데이터의 품질, 데이터 보호, 개인정보 보호, 정보 보안, 형평성 등과 관련된 어려움과 리스크에서 비롯됩니다. 데이터의 오용이나 부족한 데이터 사용으로 인해 인구 집단 내에서 원치 않는 편향과 차별이 발생할 수 있으며, 이는 해당 보고서에서 분석됩니다.

머신러닝 모델을 훈련, 테스트, 검증할 때와 급격한 변화에도 예측을 유지할 수 있는 모델의 능력이 중요하며, 이때 데이터의 역할은 결정적입니다. 이 글은 또한 빅데이터와 머신러닝 모델의 사용이 시장 참여자들 사이의 상호 작용에 중대한 영향을 미칠 수 있다는 우려에 대해서도 언급합니다. 여기에서 중요한 점은 대체 데이터나 빅데이터만이 아닌 방대한 데이터 관리 문제들이 발생할 수 있다는 점입니다.

8.5.2 데이터 표현 및 중요성

데이터의 '정확성'은 업계에서 정의하는 빅 데이터의 네 가지 'V' 중 하나로, 현실을 얼마나 잘 반영하는지를 의도합니다. 빅 데이터의 예측 불확실성은 신뢰를 의심할 만한 출처, 품질이 낮은 데이터 또는 부족한 데이터로 인해 발생할 수 있습니다. 빅 데이터에서는 특정 행동을 포착하거나 잡음이 많거나 고장난 데이터 수집 시스템으로 인해 관찰의 정확성이 훼손될 수 있습니다.

데이터의 정확성을 넘어 집중해야 할 또 다른 요소는 데이터 표현과 관련성입니다. 모집단을 정확하게 대표하는지, 주요 하위 집단을 균형 있게 포함하는지가 중요한 질문입니다. 이를 통해 금융 시장에서 거래 그룹의 부적절한 대표를 방지하고 정확한 모델을 만드는 데 도움이 됩니다. '데이터 관련성'은 상황에 필요한 데이터를 제공하면서 불필요한 정보를 걸러내는 것을 의미합니다.

개인 또는 기업의 행동과 평판에 대한 정보는 모델에 포함하기 전에 중요도를 신중하게 평가해야 하며, 이는 신용 평가에 직접적으로 사용됩니다. 데이터의 양이 방대하고 관련이 많기 때문에, 사례별로 데이터 세트를 평가하는 것이 어려울 수 있습니다. 하지만 AI의 사용을 통해 수준을 낮출 수 있습니다.

8.5.3 개인정보 및 데이터 프라이버시 보호

AI 시스템에 사용되는 데이터의 방대함, 보편성 및 특성 때문에 여러 개인정보 보호 문제가 발생할 수 있습니다. AI 분야에서는 대규모 데이터 세트를 처리하는 AI의 능력, 머신러닝 모델에서 '알림 및 허가' 관행이 얼마나 실현 가능한지에 대한 질문, 데이터 연결성 및 국경을 넘는 데이터 흐름과 관련한 문제들을 나타납니다. 이러한 문제들은 금융 서비스 맥락에서 데이터 연결의 중요성과도 연결됩니다. 적절한 데이터 거버넌스 규제와 보호 조치가 존재한다면, 국경을 넘어 데이터를 집계, 저장, 처리 및 전송하는 능력은 금융 산업의 성장을 증대시킬 수 있습니다.

데이터 집단의 결합은 빅데이터를 사용하는 이들에게 새로운 분석 방법을 제공하지만, 분석상의 문제도 발생시킬 수 있습니다. 서로 다른 출처에서 얻은 데이터베이스는 새로운 분석 경우를 제공하지만, 샘플 선택, 편향 등의 분석상의 어려움을 야기할 수 있습니다. 또한 사이버 보안 위험, 해킹 위험 등의 운영상의 리스크도 개인정보 보호와 데이터 보호에 중대한 영향을 미치게 됩니다.

AI 모델이 사이버 공격 기회를 새롭게 창출하지는 않겠지만, 기존의 공격을 악화시킬 수 있는 잠재력이 있습니다. 고급 추적 방법이 개발되고 제3자에 의한 데이터 공유가 증가함에 따라 개인정보 보호와 관련한 위험이 증대됩니다.

지리적 위치 데이터나 신용카드 거래 데이터와 같은 고객이 제공하지 않은 데이터는 데이터 보호법 위반의 잠재적 리스크를 가지고 있는데, 기업들은 이러한 정보 보호를 목표로 하는 새로운 정책을 개발하고 있습니다. 개인정보 보호 강화 기술(PET)은 개인정보에 관한 데이터를 은폐하면서도, 전체 데이터의 중요한 특성을 유지하고자 시도합니다.

유럽 연합의 일반 데이터 보호 규정(GDPR)과 같은 규제는 디지털 경제의 증가에 따라 데이터 보호와 개인정보 보호에 집중하고 있으며, 시장 전반에서 소비자 보호를 강화하고 기업과 개인 간의 균형을 재정립하며, 궁극적으로는 기업이 소비자 데이터를 사용하는 방식에 대한 투명성과 신뢰를 높이는 것을 목표로 합니다.

8.6 인공지능이 제공하는 금융 상품 및 서비스의 데이터 통합과 경쟁력

시장 공급업체 간에 높은 집중도로 인하여 정보에 기반한 결정을 내릴 수 있는 소비자들의 능력이 제한되면, 인공지능(AI)의 발전으로 인한 경쟁 우위는 효율적이고 경쟁적인 시장 운영에 방해가 될 수 있습니다. 실제로 인공지능의 발전은 경쟁 우위를 창출해왔습니다. AI와 독점적인 모델의 적용에 따라 소규모 금융 서비스 제공업체의 시장 참여가 제한될 수 있습니다. 이러한 업체들은 AI/ML 기술을 내재화하거나 빅 데이터 인사이트를 활용하는 데 필요한 재정적, 인적 자원이 부족할 수 있습니다. 결과적으로, 시장에 참여할 수 있는 역량이 제한될 수 있습니다.

데이터 접근의 불평등과 소수의 대규모 기업, 특히 빅 테크 회사들이 데이터 공급을 독점하는 경향 때문에, 소규모 경쟁업체의 AI 지원 상품 및 서비스 시장 경쟁력은 약화될 수 있습니다.

데이터 네트워크 효과의 존재는 소수의 주요 기업에 대한 시장 집중과 의존도를 증가시키며, 이로 인해 시스템적으로 중요한 새로운 플레이어가 등장할 수 있습니다. 빅 테크는 이런 잠재적 위험의 예로 볼 수 있으며, 규제 프레임워크 외부에서 운영되는 빅 테크는 문제의 복잡성을 더욱 증대시킵니다. 이는 주로 빅 테크가 데이터에 접근하고, AI 알고리즘을 사용하여 그 데이터를 상업화하기 때문입니다. 대체 데이터 제공업체가 제한된 상황에서 데이터베이스 배포의 경제성이 형성됩니다. 따라서 이 분야는 시장 집중도가 높아질 가능성이 있습니다.

AI 시장의 진입장벽과 관련하여, 소규모 기업은 고가의 데이터 마이닝 및 머신러닝 소프트웨어, 규모의 경제가 적용되는 고가의 데이터 센터 등 고가의 보조 리소스와 물리적 인프라가 필요하여 이 기술을 채택하는 데 큰 부담을 느낄 수 있습니다.

새로운 연결과 행동 패턴을 발견하기 위한 알고리즘이 다양한 소스로부터 대량의 데이터에 접근해야 하는 상황에서, 필요한 부수적인 활동이 부족하거나, 해당 기업이 많은 시장에 동시에 존재하지 않는 경우, 소규모 기업은 진입장벽에 직면할 수 있습니다. 이러한 장벽은 경쟁력 있는 알고리즘을 개발하는 것을 방해할 수 있습니다. 금융 상품 및 서비스 시장에서 건전한 경쟁은 특히 무역 및 투자 부문에서 기술을 최대한 활용하는 것에 중요합니다. 제삼자 템플릿 또는 아웃소싱된 공급업체를 활용하는 것은 기업이 이러한 도구의 이점을 충분히 활용하지 못하게 만들 가능성이 있습니다. 이는 금융 소비자의 단편적인 행동과 무리 행동, 금융 전문가의 거래 및 투자 전략의 융합으로 이어질 수 있습니다.

8.6.1 ML 거버넌스 모델 및 위원회 구성

금융 서비스 제공업체들은 일반적으로 기존 통계 모델링에 적용하는 프로세스를 머신러닝 모델링에도 적용합니다. 이 프로세스에는 모델 문서화와 검증이 포함됩니다. 신용 및 기타 소비자 신용 결정에서 전통적인 통계 모델의 사용이 보편화되면서 모델 관리를 위한 모범 사례가 개발되고 구현되었습니다. 금융 기관은 적절한 데이터 세트를 사용하여 모델을 개발하고, 일부 데이터는 모델에 넣지 않으며, 보호 대상 클래스를 나타내는 데이터의 사용을 회피하고, 모델을 엄격하게 시험하고 검증합니다(간혹, 독립적인 검증자에 의해). 또한, 모델을 실제로 사용할 때 입력 데이터가 모델 개발에 사용된 데이터와 일치하는지 확인하는 것이 금융 기관의 책임입니다.

설계, 운영 및 구현 결정에 관한 문서 작업과 감사 기록은 유지되어야 합니다. 거버넌스 프레임워크는 또한 모델이 불평등한 대우에 관한 명백한 증거를 생성하지 않도록 모니터링하는 역할을 합니다. 모델이 어떻게 특정한 결과에 이르게 되었는지를 이해하는 것은 매우 중요합니다. 모델 거버넌스 위원회나 모델 검토 위원회는 금융 서비스 회사 내에서 프로세스 설치, 승인, 실행을 감독합니다. 이 프로세스와 관련된 모델 검증에는 종종 독점 데이터 세트가 포함됩니다. 입력, 출력 및 변수의 안정성 모니터링은 표준 절차입니다.

AI 기반 모델의 복잡성으로 인하여 몇몇 금융 회사들은 내부 위원회의 수를 늘릴 것으로 보입니다. 예를 들어, AI 기반 모델에 대한 모델 검증의 빈도와 방법은 선형 모델과 달라야 합니다. AI를 규제 기술(RegTech) 목적으로 사용하는 경우, 금융 서비스 회사들은 모델이 실제로 데이터를 사용하는 방법을 모니터링하고 제어하는 자동화된 프로세스를 강화하기 위해 노력합니다. 그리고 모델 결과의 자동 추적을 개선하는 데 주력합니다. 이 두 가지 개선 사항은 거버넌스와 관련 있습니다.

8.6.2 시장 중개자 및 자산운용사의 인공지능 및 머신러닝 사용에 대한 IOSCO 컨설팅

국제증권감독기구(IOSCO)는 시장 참여자 및 자산운용사들이 인공지능(AI) 및 머신러닝(ML)을 활용하는 데 있어 감독을 위한 적합한 규제 프레임워크를 제공하고자 해당 기술의 사용에 대한 자문을 시작하였습니다. 이는 자유롭게 운영되는 시장 내부에서도 이루어졌습니다. 2020년 6월 현재, 트레이더와 자산 관리자들을 대상으로 한 조치입니다.

IOSCO는 협의의 일환으로 다음과 같은 특성을 유지하며, 기대되는 행동규범을 반영하는 6가지 조치를 포함한 가이드라인을 제안하였습니다.

- AI와 ML의 개발, 테스팅, 활용 및 성과 모니터링을 위한 적절한 거버넌스, 통제 및 감시 체계의 확립; 직원들이 이를 구현하고 감시하며 질문할 수 있는 필요한 지식, 기술 및 경험의 보유
- AI 및 ML의 결과물에 대한 비즈니스 적용을 위한 견고하고 일관되며 잘 정의된 개발 및 검증 프로세스의 확립
- AI 및 ML이 완전히 구현되기 전에 잠재적 문제를 인식하고, 이를 투자자, 규제기관 및 다른 이해관계자들에게 투명하게 적절히 공개하는 것

9장. 금융 신호 처리와 머신러닝

9.1 배경

머신러닝(ML) 분야는 빠르게 우리 삶의 다양한 영역에 영향을 주고 있습니다. 머신러닝 알고리즘은 과거에는 오직 숙련된 전문가만 수행할 수 있었던 업무들까지 현재 수행할 수 있게 되었습니다. 특히 금융 분야에서는 향후 몇 년 안에 투자의 방식을 뿌리부터 바꿀 가능성이 있는 혁신적 기술을 받아들일 준비가 되어 있는 매우 흥미로운 시점입니다. 이 책은 20년 이상 제가 경험한 과학적으로 타당하고 실질적인 효과를 입증한 머신러닝 방법론에 대해 소개합니다. 이러한 도구들은 저 자신이 대규모 자산을 운용하는 데 있어 가장 정교한 기관 투자자들에게 막대한 이익을 제공했습니다. 금융 활동은 크게 두 가지 범주로 나눌 수 있습니다.

한편으로는 현실 경험이 없는 저자가 집필한 글을 볼 수 있습니다. 그들의 저서에는 현실 세계에서 발견하기 어려운 복잡한 방정식들이 포함되어 있으며, 이론적으로 일관성 있을 수 있으나 실제 세계에서는 적용되지 않습니다. 다른 한편으로는 실천적 설명을 제공하지만 견고한 학문적 이론이 결여된 책들도 있으며, 이들은 수학적 방법론을 오용하여 실제 관찰을 제대로 설명하지 못합니다. 이들 모델은 실무에서는 종종 실패로 이어집니다. 연구 및 학자적 출판물은 금융 시장에서의 실제 응용과는 거리가 멀으며, 무역 및 투자 영역에서의 상당수의 응용 사례들은 과학적 원칙을 반영하지 않습니다.

이 책의 주된 목표 중 하나는 학계와 실무 분야 사이의 잘 알려진 간극을 메우려는 시도 때문입니다. 저는 학계와 실무 측면을 넘나드는 것이 얼마나 번잡스럽고 도전적인지를 잘 알고 있습니다. 균형은 항상 신뢰로운 방향으로 이루어져야 합니다. 이 책은 단지 수학적 증명의 아름다움 때문에 이론을 지지하거나, 단지 비효율적이지 않다는 이유만으로 솔루션을 제언하지는 않습니다. 본 책은 경험을 통해서만 얻을 수 있는 정보를 체계적이고 규칙적인 방식으로 전달하는 것을 목표로 합니다.

재정적 결정이 공익에 기여하기를 바라는 신념도 책 집필의 두 번째 동기가 되었습니다. 금융 부문이 우리 사회에서 수행하는 역할에 대한 제 불만은 수년간 학술지와 저널 기고를 통해 제기해왔던 문제입니다. 사기꾼들은 경솔한 투기를 부추기고, 주류 미디어는 투자자들이 그러한 위험한 행위로 자신들의 자산을 투자하도록 격려합니다. 이러한 상황은 투자자들에게 거부감을 줍니다. 머신러닝이 금융 영역에서 지배적인 역할을 하게 될 날이 멀지 않았으며, 과학은 추측을 줄이고 투자를 도박과 동일시하지 않도록 변화시킬 것입니다.

독자 여러분의 적극적인 참여를 부탁드립니다. 세 번째로, 대부분의 투자자들이 머신러닝을 투자에 적용하는 복잡한 과정을 이해하지 못하기 때문에 이 책을 집필하게 되었습니다. 이것은 특히 '퀀트(quantitative)' 분야로 진입한 수요 기반 회사들에게 더욱 해당합니다. 저는 많은 기업들이 학계나 실리콘밸리에서 수입한 표준 머신러닝(ML) 알고리즘에 투자하여 재정적 손해를 입는 상황이 발생하지 않아야 한다고 생각합니다. 이는 그 알고리즘이 비효율적이어서가 아니라, 잘못 사용되었기 때문입니다. 여기서 더 나은 솔루션을 위한 ML 알고리즘에 대한 투자는 향후에 금전적 손실로 이어질 것으로 보입니다.

9.2 기계학습 프로젝트가 자주 실패하는 주된 이유들

양적자금조달(Quantitative Funding), 특히 자금세탁 방지 분야에서 실패하는 프로젝트의 비율은 상대적으로 높습니다. 소수의 성공 기업들이 상당한 자산을 축적하고 투자자들에게 지속적인 수익을 제공할 능력을 가집니다. 그러나 이 책에서 설명할 다양한 이유들로 인해 이와 같은 성공은 매우 드뭅니다. 지난 20년간 다양한 직무와 기업들의 흥망성쇠를 지켜보면서 저는 이 모든 실패의 배경에는 일관된 결함이 존재한다고 생각합니다.

9.2.1 시시포스의 모델이자 패러다임(Sisyphean Model and Paradigm)

투자일임 포트폴리오 매니저(Portfolio Managers), 또는 보호 매니저(Protection Managers)라고 불리기도 하는 이들은 이론이나 논리의 제약 없이 투자 결정을 내립니다(시스템적으로 보호를 구현하는 매니저가 있을 경우). 그들은 실시간 뉴스와 분석을 접하지만, 결국 자신들의 판단이나 직관을 많이 신뢰합니다. 이를 정당화하기 위해 다양한 이야기를 만들어 낼 수 있으나, 모든 결정에는 그 나름대로의 이유가 존재합니다. 투자회사에서는 직원들이 '사일로(Silos)'라 불리는 분리된 공간에서 업무를 진행하게 하며, 아무도 그 배경에 대해 완전하게 이해하지 못합니다. 만약 여러분이 선별적인 회의에 참석해 본 적이 있다면, 그 과정이 얼마나 시간 낭비이며 비효율적인지 놀랐을 법합니다. 참석자 대부분이 단편적인 사실에 매몰되며, 실증적이고 경험적인 증거가 결여된 상태에서 치열한 논쟁이 벌어지는 것을 목격했을 것입니다. 이는 결코 재량적인 포트폴리오 매니저의 성공 가능성을 부정하는 것은 아닙니다.

이에 따라, 상호작용을 최소화하고 팀 간 협업을 제한하는 것이 합리적으로 보일 수 있습니다. 그러나 이 같은 방식이 적용된 퀀트 또는 머신러닝 프로젝트를 보면 대체로 심각한 실패로 이어진 경우가 많았습니다. 이런 전략을 성공적으로 운영하는 콘트리퓨터(Quant Contributor)에게 적용해야 한다는 것이 일반적인 견해입니다. 이는 50명의 박사를 고용해 6개월간 투자 전략 개발에만 초점을 맞추는 것과 비슷하며, 결국에는 표준 팩터 투자, 낮은 샤프 비율을 갖는 오버피팅된 전략, 또는 백테스트에서는 좋은 결과를 보이지만 실제로 오류가 많은 전략으로 끝나게 됩니다. 이러한 결과는 투자위원회를 실망시키고 프로젝트 포기로 이어질 수 있습니다. 설령 실제 발견이 있다 하더라도 생성된 수익이 비용을 상쇄하기에 충분하지 않아, 연구자들은 다른 곳에서 더 현명한 방법을 찾게 됩니다.

9.2.2 메타전략적 사고의 패러다임(Metastrategic Thinking Paradigm)

스스로의 머신러닝 전략을 수립해야 하는 상황에 처했을 때, 전략가는 불리한 위치에 있습니다. 단 하나의 실제 투자 전략을 만드는 것은 백 개의 전략을 설계하는 것만큼 많은 노력이 요구됩니다. 데이터 선정과 처리, 고성능 컴퓨팅 인프라, 소프트웨어 개발, 피처 공학, 시뮬레이션, 실행, 백테스트 등의 과정은 특히나 복잡합니다. 여러분은 모든 이 해야 할 일들과 더불어, 자동차 한 대를 완성하고 특정 지역에 서비스를 제공해야 하는 BMW 공장의 한 작업자처럼 느껴질 겁니다. 어느 한 주는 용접공, 다음 주는 전기 기술자, 그 다음 주는 기계 엔지니어, 또 그 다음 주는 도장공이 되어야 합니다. 성공적으로 자동차를 생산하고 서비스를 제공하는 것은 현실적으로 불가능합니다. 메타전략

패러다임은 저가 알고 있는 모든 최선을 다하는 퀀트 회사들에서도 사용되고 있습니다.

따라서 이 책은 개인보다는 팀을 위한 연구 지침서로써 구성되었습니다. 각 장을 읽고 상세한 지침을 따름으로써, 연구 조립 라인의 다양한 작업 스테이션을 구축하는 방법을 배우게 됩니다. 각 역할은 특정 연구 영역에 대한 전문성을 개발하고, 동시에 전체 과정에 대한 넓은 관점을 유지하면서 해당 분야의 리더가 되는 것을 목표로 합니다. 이 책은 무작위 히팅(Random Hitting)에 의존하기보다는 많은 사람들의 협업에 기반한 정교한 공장 계획을 소개합니다.

버클리 국립 연구소와 같은 미국의 주요 연구 기관들은 이런 방식을 통해 정기적으로 과학적 발견을 하고 있습니니다. 이들 기관의 일부 발견으로는 주기율표에 16개의 새로운 원소를 추가하고, 자기공명영상(MRI)과 양전자 방출 단층 촬영(PET) 스캔의 기초를 마련하는 것들이 있었습니다. 이러한 발견은 팀워크와 각 구성원의 기여를 통한 결과일 뿐, 개별적인 노력만으로 이루어진 것이 아닙니다. 이러한 금융 연구소를 설립하는 것은 시간이 소요되며, 관련 지식과 경험을 축적한 인력이 필요합니다. 하지만 이 검증된 협업 패러다임과 시지프스의 오랜 노력에서 차용한 방법 중 어느 것이 더 유망하다고 생각하십니까?

9.2.3 조립 라인 기반의 조직(Organization Based on Assembly Line)

반면에 16세기 스페인 정복자들이 아메리카 대륙에서 가져온 금의 연평균 생산량이 1.54톤이었던 것에 비해, 오늘날에는 광부들이 매년 약 2,500톤 가량의 금을 채굴하고 있습니다. 사람들이 실제로 쓸 수 있는 금의 양은 금의 전 세계 총량에 비해 극히 일부에 불과하지만, 피사로가 칼 대신 현미경을 들고 있었다면 엘도라도를 더 쉽게 찾을 수 있었을 것입니다. 투자 방법론을 발굴하는 데는 상응하는 개발과정이 필요합니다. 10년 전에는 계량경제학과 같은 단순한 수학적 방법을 사용해 거시적 알파를 찾는 것이 일반적이었습니다. 그러나 오늘날 알파를 찾을 확률은 빠르게 줄어들고 있으며, 이는 과거에 비해 비교적 드문 일이 되었습니다. 오늘날 총알파를 추구하는 사람들은 경험과 지식의 수준에 상관없이 넘을 수 없는 장애물에 직면해 있습니다. 남은 것은 미시적 알파, 즉 소규모, 숨겨진 차익을 발견하는 것입니다.

9.2.4 데이터 관리자

데이터 관리자(Data Manager)는 다양한 형태(표형식, 계층형식)와 조건(정렬/비정렬, 과거/실시간 데이터)의 데이터를 수집, 정리, 색인화, 보관, 조정하고 생산 라인으로 전송하는 임무를 담당합니다. 이들은 금융 시장의 미세 구조(microstructure)와 데이터 통신 프로토콜인 FIX(Financial Information eXchange)에 익숙하며, 데이터 소스의 환경을 이해하고 관련 데이터 프로세싱 도구를 개발하는 책임을 지고 있습니다. 금융상품 종류마다 고유의 특징과 행동이 있는데, 예를 들어 채권(bond)은 빈번한 호출이나 거래에 반응할 수 있고, 주식(stock)은 분할(split), 역분할(reverse split), 투표(voting) 등 복잡한 증권 시장의 이벤트에 반응할 수 있습니다.

9.2.5 전략가

전략가(Strategist)는 수집된 정보를 실질적인 투자 전략과 알고리즘으로 변환하는 역할을 합니다. 이들은 다양한 자산과 상품을 분석한 아이디어를 바탕으로 종합적인 이론을 개발하고 이를 실험하여 진위를 확인합니다. 전략 개발은 단순한 기능 조합이 아니라 금융 시장에 대한 깊은 지식을 바탕으로 한 데이터 과학과 경제 메커니즘의 정의를 필요로 합니다. 전략가는 제안된 전략을 코드화하고, 코드의 프로토타입을 백 테스팅(back-testing) 팀으로 전달합니다.

9.3 금융 산업에서 머신러닝 알고리즘을 어떻게 사용할 수 있나요?

금융 산업에서 머신러닝(Machine Learning) 알고리즘은 옵션 가격 책정, 알고리즘 트레이딩, 리스크 모니터링 등에 사용됨으로써, 정보 처리 능력을 향상시키고 의사결정을 자동화합니다. 특히, 고빈도 트레이딩(High-Frequency Trading, HFT)에서는 빠른 속도와 신속한 의사결정이 핵심입니다. 머신러닝은 변화하는 금융 환경에 빠르게 적응하고, 투자자에게 가장 유리한 정보에 기반한 결정을 가능하게 합니다.

머신러닝 알고리즘의 성장은 체스나 위험과 같은 게임에서 인간의 한계를 뛰어넘는 컴퓨터의 능력과 유사하게, 복잡하고 다차원적인 금융 시장에서 패턴을 빠르게 인식하고 활용할 수 있다는 점에서 주목할 만합니다. 이는 특히 법 준수, 의심스러운 결정의 검토 및 개선이 쉬운 것부터, 대출, 채권 평가, 회사 랭킹 부여, 잠재 인력 탐색, 이익 예측에 이르는 금융 분야의 모든 자문 과정에 접목될 수 있습니다.

9.4 머신러닝 알고리즘이 인간 투자자에게 어떻게 작용할 수 있나요?

체스에서의 컴퓨터가 인간보다 우수함에도 불구하고, 인간과 컴퓨터의 조합이 최적의 결과를 낼 수 있다는 점을 "온디맨드 PM"(On-Demand Portfolio Management)의 사례를 통해 설명하고 있습니다. 이는 인간의 직관과 컴퓨터의 계산 능력을 결합한 '양자 전략'(Quant Strategy)의 예시와 같습니다.

9.5 금융 머신러닝과 계량경제학의 차이점은 무엇인가요?

계량경제학(Econometrics)은 전통적인 통계 도구를 사용하여 경제 및 금융 데이터를 분석하는 방법의 본질을 설명하는데, 이러한 고전적 접근법은 현재의 복잡한 금융 시스템을 적절히 설명하는 데 한계가 있습니다. 금융 머신러닝은 기존의 이론과 달리 데이터로부터 직접 패턴을 발견하고 새로운 현상을 예측할 수 있는 힘을 가지며, 이것이 금융과 비즈니스 영역, 특히 계량경제학과 비교했을 때, 머신러닝 교육을 받은 학생들에게 선호되는 이유입니다.

9.6 머신러닝 알고리즘이 단지 블랙박스(Black Box)라는 인식에 대한 대답

많은 독자 여러분께서는 머신러닝 알고리즘이 이해하기 어려운 블랙박스로 여겨지는 것에 동의하실 것입니다. 머신러닝 알고리즘은 예측 가능하고 명확한 패턴 인식 능력을 갖고 있음에도 불구하고, 대부분의 사람들은 머신러닝에 대한 충분한 지식이 없기 때문에 머신러닝을 마치 마법 같은 신비로운 상자로 오해합니다. 예를 들면, 마법 트릭에서 "토끼는 어디서 나타났을까? 어떤 마술일까?"와 같은 반응을 보이는 것이죠. 본질적으로 사람들은 자신이 이해할 수 없는 것에 대해 자연스럽게 불신감을 가집니다. 이러한 협소한 태도는 무지에서 비롯되며 소크라테스가 제시한 해결책, 즉 '교육'이 중요합니다. 우리의 뇌도 그 자체로 어떠한 작동 원리를 갖고 있는지를 정확히 알고 있지 않은 '브레인 박스(Brain Box)'라 할 수 있습니다. 때때로 회복 불가능한 반(反) 기계적 사고를 가진 '러다이트(Luddite)'와 마주칠 수도 있습니다. 네드 러드(Ned Ludd)는 가내수공업 직공으로서, 1779년 산업 혁명 기간 중 기계화에 항거하여 기계를 파괴하는 일을 벌였습니다. 기계에 대한 반감은 산업 혁명으로 인한 자동화의 증가에 대한 분노를 촉발했고, 영국 의회는 '기계 파괴 행위'를 범죄로 규정하는 법을 제정하게 되었습니다. 1811년부터 1816년 사이에 이루어진 러다이트 반란은 군에 의해 결국 무력진압 되었습니다만, 러다이트 운동의 영향은 오늘날까지 기술에 대한 회의론적인 태도로 이어지고 있습니다.

9.7 머신러닝 알고리즘에 대한 구체적 언급이 없는 이유

이 책에서는 특정 머신러닝 알고리즘을 선별하여 추천하지 않습니다. 사실, 컨볼루션 뉴럴 네트워크(Convolutional Neural Networks, CNN), AdaBoost, 랜덤 포레스트(Random Forests, RF), 서포트 벡터 머신(Support Vector Machines, SVM) 등 여러 알고리즘을 사용할 경우에도 동일한 기본적인 문제에 직면하게 됩니다. 이러한 과제들에는 데이터의 정형화

(structuring), 라벨링(labeling), 가중치 부여(weighting), 고정 변환(feature engineering), 교차 검증(cross-validation), 특성 선택(feature selection), 특성 중요도(feature importance), 과적합(overfitting), 백테스팅(backtesting) 등이 포함됩니다. 재무 모델링(finance modeling)의 맥락에서 이러한 문제에 대처하는 것이 핵심적이며, 원하는 사항에 적합한 접근법을 채택하는 것이 중요합니다. 따라서 본 서적은 이러한 문제의 해결 방안 탐색에 초점을 두고 있습니다.

9.8 재무 데이터의 주요 유형들

'재무 데이터(Financial data)'라는 용어는 사실상 상당히 다양한 형태의 데이터를 포괄합니다. 금융 데이터는 복잡도가 증가하는 순서로, 시계열 데이터(time-series data), 단면 데이터(cross-sectional data), 패널 데이터(panel data), 거시경제 데이터(macroeconomic data)의 네 가지로 대표되는 주요 범주 내에서 분류될 수 있습니다. 추후 절에서는 이런 데이터 유형들 각각에 적용 가능한 분석 방안들을 자세히 다룰 예정입니다.

9.8.1 머신러닝을 기반으로 한 금융 데이터 분석 및 예측 방법

금융 시장 데이터의 예측은 투자자와 연구자에게 중대한 의미를 지닙니다. 다수의 금융 부문에서 정확한 예측을 수행하는 것은 투자 위험 감소 및 수익 증대에 기여할 수 있습니다. 만약 미래 시점에서의 경제적 사건들을 미리 예측할 수 있다면, 경제 위기나 금융 사기 같은 심각한 금전적 문제들을 방지하는 데 도움이 될 것입니다. 본 연구에서는 금융 데이터 분석과 예측을 위한 머신러닝 기반의 새로 개발된 기술들의 효능을 탐구합니다. 연구는 두 대주제로 구분됩니다; 각각은 금융 예측 분야에 있어 서로 다른 연구 질문들을 탐구합니다. 첫 번째 부분은 금융 데이터 분석 및 예측에 대한 선행 연구들을 종합하는 개요를 제공하며, 논문 형태로 출판된 자료에서 발견됩니다. 지난 30년간 금융 시장의 미래 움직임을 예측하기 위해 다양한 통계적 및 시계열 분석 전략들이 제안되었습니다.

금융 시계열 데이터의 비선형성(non-linearity), 동태성(dynamism), 그리고 복잡성(complexity) 때문에 금융 예측은 현대 시계열 분석 분야에서 가장 도전적인 문제 중 하나로 남아있습니다. 이 연구는 금융 데이터 공학 분야에 적용 가능한, 다양한 시계열 분석 및 데이터 마이닝 기법의 이론적 토대를 제시합니다. 효과적인 예측 시스템을 구성하기 위한 체계적인 프레임워크(framework)를 제공하는 것이 본 연구의 목적입니다. 연구의 두 번째 부분에서는 과학적 연구 방법, 실험 결과, 그리고 흥미로운 담론과 미래 연구에 대한 시사점을 논의합니다. 본 연구는 주식, 원자재, 외환 등 다양한 금융 시장의 데이터를 활용하여 광범위한 벤치마킹을 수행합니다. 혁신적인 시계열 모델링 및 분석 방법을 적용하여 예측 모델을 구축하는 상세한 프로세스가 설명됩니다. 신경망(neural networks), 서포트 벡터 머신(Support Vector Machines, SVM) 등 다양한 유형의 예측 모델을 검증하고, 이들을 기존의 예측 시스템들과 머신러닝 전략을 활용하여 비교합니다.

실험은 제안된 모델들 중에서 정량적(quantitative) 및 정성적(qualitative) 평가 기준을 기반으로 가장 우수한 성능을 나타내는 모델을 선별하는 것을 목표로 하고 있습니다. 실험 결과에 따르면, 다양한 데이터 마이닝 및 머신러닝 기법을 통합한 복합적인 다단계 접근법에 기반한 예측 모델이 단일 모델 대비 예측 정확도 및 방향성 반영에서 훨씬 우수한 성과를 달성하였습니다.

재무 데이터의 실제 값을 정교하게 추정하는 일은 낮은 평균 제곱근 오차(Root Mean Square Error, RMSE), 평균 절대 오차(Mean Absolute Error, MAE) 및 평균 절대 백분율 오차(Mean Absolute Percentage Error, MAPE) 수치로 증명되었습니다. 방향성 예측 작업의 정확도는 일별 및 주별 데이터에서 약 70%, 월별 데이터에서는 51% 이상으로 나타났습니다.

혁신적인 특징 선택 기술의 적용과 스펙트럼 분석을 데이터 필터링의 수단으로 도입함으로써, 예측 결과의 정확성을 크게 향상시킬 수 있음을 확인했습니다. 또한, 모델을 개발하는 과정에서 기본 분석(fundamental analysis)과 기술적 분석(technical analysis)을 효과적으로 결합할 수 있는 가능성 역시 증명되었습니다. 본 연구는 금융 시계열 데이터가 연구 기간에 걸쳐 일정 수준의 예측 가능성을 보여주며, 이를 통하여 금융 시장이 완전히 무작위적(random)이지 않으며, 가격 움직임 역시 무작위 경향을 따르지 않음을 시사합니다.

9.9 금융 시계열과 그 특징

금융 시계열 데이터에 대한 정의를 알기 위해서는 먼저 금융 시장에 대해 이해해야 합니다. 금융 시장은 세계 금융 시스템의 중대한 구성 요소이며, 다양한 금융 자산과 증권이 거래되는 장소입니다.

금융 시장은 개인 투자자, 기업, 정부가 금융 거래에 참가할 수 있게 하는 기관과 법규를 의미합니다. 이러한 시장은 위험 관리(risk management), 유동성(liquidity), 효율성(efficiency)과 같은 여러 중요한 기능을 수행함으로써 경제 영역에서 핵심적인 역할을 합니다. 자산 가격은 금융 시장에서 얻을 수 있는 필수적인 정보 중 하나로, 대개 특정 시간 간격으로 포인트들을 차트(chart) 위에 플롯(plot)하여 데이터 포인트의 시리즈를 형성합니다. 시계열(time series)이란 일반적으로 동일 간격의 시간에 따른 실수 변수의 연속적인 관측치를 의미하며, 이는 금융 시장과 관련된 데이터의 시간적 변화를 포착합니다.

따라서 금융 상품 가격과 관련된 시계열은 시간의 흐름에 따라 관찰되는 관측값들의 연속체로 정의될 수 있으며, 이는 과거 시장 데이터의 연속으로 이해됩니다.

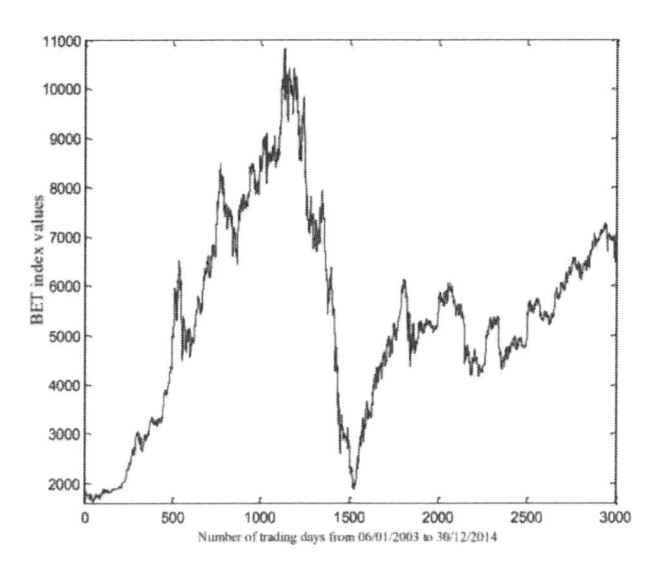

그림 9.1 2003년 1월 6일부터 2014년 12월 30일까지 부쿠레슈티 통화거래지수(BET)의 3000일 관측을 보여주는 금융 데이터 샘플

그림 9.1은 부쿠레슈티 증권거래소를 사례로 들어 금융 시계열 데이터의 전형적인 형태를 보여줍니다. 금융 시계열은 다른 유형의 시계열과 구별되는 몇 가지 주요 특성을 가집니다. 금융 데이터에서 흔히 나타나는 것은 노이즈(noise), 변동성(volatility), 그리고 비정상성(non-stationarity)입니다. 특히 시장 내 수요와 공급의 변동은 투자자와 트레이더에 의해 만들어지며, 이는 금융

데이터상에서 가격의 불안정한 움직임을 야기할 수 있습니다. 금융 시계열은 여러 요인에 의해 영향을 받을 수 있는 경제적, 기술적, 사회적, 정치적, 심리적인 요소들로 복잡하게 얽혀있어 자연스럽게 노이즈가 내포되어 있습니다. 이는 데이터에서 관찰될 수 있습니다. 더불어, 금융 시장의 잦은 이상치(outliers) 발생과 비체계적인 요소의 영위는 높은 변동성을 유발하는 패턴과 주기를 형성합니다.

9.10 예측 가능한 금융 시장

효율적 시장 가설(Efficient Market Hypothesis, EMH)의 주장에도 불구하고, 금융 예측은 전 세계적으로 많은 연구 프로젝트의 중심에 있습니다. 효율적이며 예측 불가능하다고 알려진 금융 시장을 설명하는 EMH는 상당한 지지를 받았지만, 그 타당성에 의문을 제기하는 연구 또한 존재합니다. 다수의 연구에서는 주가에 어느 정도의 예측 가능성이 있음을 입증하고 있습니다. 본 절에서는 시장 예측 가능성을 뒷받침하는 주요 연구들을 논의하려 합니다.

시장의 예측 능력을 측정하기 위해 Lo와 MacKinlay는 분산 추정기에 근거한 간단한 변동성 기반 검정(variance-ratio tests)을 실시했습니다. 주간 주식 수익률에 대한 랜덤 워크 모델의 경험적 결과는, 이 모델이 특히 소규모 주식의 경우 믿을 수 없다는 것을 확인시켜줬습니다. 마크는 미국 달러와 다른 주요 국가 통화 간의 상관관계를 예측할 수 있는지 여부를 조사했습니다. 그의 연구는 로그 환율 시계열이 무작위 경로를 따르지 않으며 장기적으로 환율을 예측할 수 있음을 시사하는 증거를 제시했습니다.

Kilian과 Taylor는 실질 및 명목 환율의 변동성 및 시계열의 지속성을 해석하기 위해 비선형 계량 경제 모델을 통한 예측 접근을 제안했습니다. 단기 경제 모델에서는 예측력이 없음을 발견했지만, 더 긴 2~3년 시퀀스에 대해서는 예측 가능성에 대한 설득력 있는 증거를 발견했습니다. 말킬은 EMH에 대한 포괄적인 연구와 그 비판 자료들을 검토하면서, 시장 예측 가능성에 대한 일반적인 결론에 도달했습니다. 그의 연구는 시장이 효율적이지 않을 수 있다는 것과 시간이 지남에 따라 주식 성과에서 예측 가능한 패턴과 가격 불규칙성이 발생할 수 있음을 시사합니다.

한편, 투자자들이 이를 이용하여 특별한 수익을 얻는 것은 여전히 어렵다는 점을 강조합니다. 유명한 투자자들 중 일부는 시장 예측 가능성을 이용할 수 있으며, 이는 투자 성공으로 이어질 수 있음을 믿고 있습니다. 워렌 버핏과 같은 특출한 투자자는 그의 투자 성공을 통해 부의 상승을 이루었습니다.

지난 10년간 신호 처리와 머신러닝 기법의 응용 범위가 상업 및 산업 분야로 폭발적으로 확장되었습니다. 이러한 신기술은 운영, 고객 분석, 경쟁사 분석, 새로운 기회 탐색 등과 같은 비즈니스 영역에서 획기적인 변화를 가져왔습니다. 광고, 부동산, 의료, 온라인 소매업 등 많은 산업들이 이 변화의 영향을 받았습니다. 금융업계는 오랜 기간 동안 정교한 방법론과 모델을 사용하여 데이터를 분석하고 정보에 기반한 의사결정을 해 온 초기 채택자(early adopter)입니다.

금융에서 사용되는 방법론에는 마르코위츠의 포트폴리오 선택 이론을 위한 이차 프로그래밍, 옵션 가격 책정을 위한 확률 미분 방정식, 위험 관리에서 확률적 변동성 모델링, 최적 트레이딩 실무를 위한 강화 학습 등이 있습니다. 머신러닝 접근법과 신호 처리 및 금융 계량 응용 분야에서 상당한 중복지를 관찰하고 있음에도, 확률적 변동성과 코퓰라 모델링과 같은 중요한 개념들은 신호 처리 문헌에서는 비교적 덜 강조되어 왔습니다. 금융 계량 응용 분야에는 분산 모델링과 최적화 원칙 같은 혁신적인 아이디어가 최근에야 도입되기 시작했습니다. 이러한 지연은 대체로 금융 부문의 보수적 구조에 기인합니다.

본 서의 목적은 여러 분야 간의 잠재적인 시너지와 상호 작용을 증진시키고, 신호 처리 및 머신러닝의 최신 발전과 금융 응용 분야를 소개하며, 전문가들이 신호 처리 분야에서 금융 커뮤니티에 의해 널리 활용되는 도구와 애플리케이션을 배울 수 있도록 하는 데 있습니다. 본 장은 금융 및 리스크 관리의 핵심 개념들에 관한 간단한 소개로 시작되며, 이 책의 후반부에서 더욱 자세히 다룰 것입니다.

포트폴리오 관리자와 트레이더는 비효율성을 찾아내고 시장에 반영되기 전에 대응할 기회를 모색합니다. 이러한 기회는 종종 간과되거나 인식되지 않은 정보, 오류, 가격 왜곡 또는 행동 경제학에서 조명된 대로 이상한 시장 참여자의 행동 패턴에서 비롯됩니다.

시장의 비효율성을 이용하기 위한 다양한 전략들 중 차익 거래는 같은 자산이나 관련 자산이 서로 다른 시장에서 다른 가격에 거래될 때 그 차이를 이용하는 전략입니다. 정확한 예측과 빠른 실행이 필수적인데, 이는 광범위한 정보를 신속하게 처리하고, 미묘한 가격 차이를 식별할 수 있는 알고리즘과 기술 인프라에 의존합니다.

고빈도 거래(HFT)는 이러한 전략의 극단적인 예로 볼 수 있습니다. HFT는 컴퓨터 알고리즘이 초미세 시장 움직임을 이용하여 매우 짧은 시간 프레임에서 수익을 낼 수 있도록 설계되어 있습니다. 이러한 전략은 시장의 유동성을 증가시킬 수도 있고 시장의 변동성을 높일 수도 있는 복잡한 영향을 가집니다.

장기 투자자는 가치 투자와 같은 전략을 사용하여 자산의 내재가치를 평가하고 시장 가격이 내재가치보다 낮을 때 구매하는 접근법을 취합니다. 이는 장기간의 기준점을 통해 자산 가격의 과소평가 또는 과대평가를 식별하려는 시도입니다. 장기 투자자는 시장 변동성에 더 관대할 수 있으며, 시간이 지남에 따라 가치가 실현될 것으로 기대합니다.

금융 모델링에서는 종종 통계적 및 수학적 방법을 이용하여 복잡한 경제 현상을 단순화하고 예측 가능하도록 만듭니다. 거시경제 지표, 기업 이익 보고서, 이자율 변동, 주식 변동성 등과 같은 입증된 경제학적 요인을 토대로 진행됩니다. 이러한 모델링은 투자 결정, 위험 관리, 가격 설정 등에 사용되며, 때로는 모든 변수를 완벽하게 포괄하지는 못하더라도 시장 동향을 이해하는 데 중요한 도구가 됩니다.

책의 후반부에서는 이러한 개념들을 다루며, 특히 고급 시계열 분석, 자산 가격 모델링, 다변량 통계 기법 그리고 최신 머신러닝 기법인 심층 학습(deep learning)을 금융 데이터에 적용하는 방법에 중점을 둡니다. 이는 현대 금융의 복잡성을 이해하고 시장 동향을 예측하는 데 매우 중요합니다.

단순히 모델과 알고리즘을 사용하는 것이 아니라, 금융 분석에는 끊임없는 교육과 연구, 시장 변화에 대한 적응이 필요합니다. 트레이더와 투자 분석가는 항상 새로운 시장 정보를 통합하고, 전략을 수정하며, 위험을 관리하는 동시에 포트폴리오의 성과를 최적화하기 위해 노력합니다. 우리는 기술 발전이 금융 시장에서 어떤 영향을 미치고 있는지, 그리고 이러한 도구와 전략이 앞으로 어떻게 발전할 지 계속해서 관찰해야 합니다.

9.11 금융 신호 처리 및 머신러닝

이 책은 페이지 제한으로 인해 다루지 못한 많은 흥미롭고 관련성 높은 주제들을 갖고 있습니다. 다음 단락에서는 독자에게 향후 연구에 대한 몇 가지 제안을 제공합니다. 포트폴리오 전략에 사용되는 기대 수익률과 공분산 행렬은 일반적으로 최근의 과거 데이터 기반으로 계산됩니다. 결과적으로 이러한 추정치들이 큰 불확실성을 프로세스에 도입하기도 합니다. 신중한 포트폴리오 매니저는 포트폴리오 할당 방법이 추정치의 오류에 어떻게 영향을 받는지를 인지하는 것이 중요합니다.

강력한 포트폴리오 최적화 분야는 이러한 민감도를 인지하고 모델링 오류에 대해 더욱 견고한 기법들을 발전시키고자 합니다.

시장 활동에 대한 단기 예측은 시장 미세 구조를 조사하고 고빈도 트레이딩 방법, 공격적인 대상 지향 전략, 시장 조성 전략을 개발하는 데 필수적입니다. Kearns와 Nevmyvaka(2013)는 이와 관련하여 최근 많은 과제를 요약한 개요를 제공했습니다. 대규모 포트폴리오 운용자들은 연금 기금이나 뮤추얼 펀드와 같이 시장에 큰 영향을 주지 않고 즉시 큰 규모의 거래를 실행해야 하는 경우가 많습니다. 최적 주문 실행 분야는 시장의 주문 영향을 최소화하고 신속하게 실행할 수 있는 방법을 모색하는 분야로, 큰 주문을 여러 개의 작은 주문으로 나누고 각각 시간을 세심하게 배분하는 것이 주요 초점입니다. 최적 확률 제어의 개념은 이러한 상황에 필수적입니다.

다양한 금융 상품은 각각 특성에 맞는 수학적 모델을 필요로 합니다. 예를 들어, 채권 상품의 가치는 다양한 수익률 곡선의 움직임에 대응하여 결정되며, 옵션 가격은 변동성 매트릭스에 의존하고, 환율은 통화 쌍의 변동에 기반합니다. 주식은 특별히 복잡한 수학적 구조는 없지만, 주로 거래되는 산업, 거래 스타일, 그리고 다른 일반적인 특징에 따라 모델링 될 수 있습니다.

그러므로, 펀더멘털 혹은 통계적 요인을 기반으로 한 모델을 만들 수 있습니다. 주식 가격에 영향을 미치는 경제적, 경제학적, 정치적 부문의 지속적 변화를 반영하는 뉴스의 유포는 시장 변동성의 중요한 원인입니다. 전통적으로 트레이더는 기사를 읽고 그 의미를 분석한 다음, 이 정보에 기초하여 포트폴리오에 미치는 영향을 평가하고 거래합니다. 많은 금융기관은 이미 관련 정보의 컴퓨터 해석에 기반을 둔 자동화된 의사결정 및 거래 전략을 연구하기 시작했습니다. 이러한 전략은 단순한 감정 분석부터 깊이 있는 의미 분석, 개체 추론에 이르기까지 다양합니다. 이러한 발전은 인터넷의 방대한 정보 소스, 자연어 처리 기술의 발전, 빠른 의사 결정의 중요성이 증가함에 따라 가능해졌습니다.

9.12 머신러닝을 활용한 자산 할당

9.12.1 볼록 포트폴리오 최적화 문제

투자 포트폴리오를 구축하는 일은 매우 일반적인 재무적 도전입니다. 투자 관리자는 지속적으로 잠재적 위험과 기대 수익에 대한 자신의 견해를 반영하는 포트폴리오를 만들어야 합니다. 60여 년 전, 당시 24살이었던 해리 마코위츠는 이런 근본적인 질문에 대한 답을 모색했습니다. 그의 탁월한 통찰력은 주어진 위험 수준에서 최상의 위험 조정 수익률을 제공하는 포트폴리오가 달라짐을 인식, '효율적 투자선' 혹은 '효율적 프론티어'라는 개념을 초래했습니다. 이는 가능한 한 최고의 수익률을 내는 단일 투자 상품에 자산을 투자하는 것보다, 상관관계를 고려하여 다각화된 포트폴리오를 구성하는 것이 더 낫다는 것을 의미합니다. 마코위츠는 1954년 RAND 연구소에서 박사 과정 중 임계선 알고리즘을 개발하여 포트폴리오 최적화 문제에 대한 부등식 제약 문제를 해결했습니다.

이 임계선 알고리즘은 카루시-쿤-터커(Karush-Kuhn-Tucker) 조건을 능숙하게 회피하는 이차 최적화 프로세스로, 이를 통해 반복을 통해 정답에 도달하는 것으로 유명합니다. 베일리와 로페즈 데 프라도의 연구는 이 접근법에 대해 설명하는 동시에 오픈소스 구현을 포함하고 있습니다. 놀랍게도 대다수의 금융 전문가들은 아직까지도 임계선 알고리즘을 잘 알지 못하는 것으로 보입니다. 대신, 올바른 해를 보장하거나 시간 지연 없이 해를 찾지 못하는 일반적인 이차 프로그래밍 접근법에 의존하는 경우가 많습니다. 마코위츠의 이론은 훌륭하지만, 이차 프로그래밍 솔루션이 가지는 몇 가지 실제 문제들 때문에 임계선 알고리즘에 대한 신뢰는 제한적일 수 있습니다.

기대 수익률에 대한 작은 변동조차도 임계선 알고리즘이 과도하게 분산된 포트폴리오를 생성하게 만들 수 있다는 점은 주의해야 할 중요한 사항입니다. 여러 저자들은 수익률을 정확하게 예측할 수 있는 경우가 드물기 때문에 수익률 추정을 완전히 무시하고 대신 공분산 행렬에 집중하기로 결정했습니다. 이로 인해 위험 기반 자산 배분 전략의 하나인 위험 패리티가 각광받게 되었습니다. 이차 프로그래밍 방법을 사용할 때는 양의 정부호 공분산 행렬이 필요하며(모든 고유값이 양수인), 공분산 행렬이 수치적으로 불안정한 경우(큰 조건수를 가진 경우), 역행렬을 구하는 과정에서 크게 오류가 발생할 수 있는 민감도 문제가 있습니다.

9.12.2 기하학적 관계에서 계층적 관계로의 전환

최근 수년 간, 금융 시장의 불안정성 문제가 많은 관심을 받으며 상세하게 문서화되었습니다. 대다수의 해결책은 계산상의 견고성을 높이기 위해 제약 조건의 추가, 베이지안 접근법

(Bayesian approaches)의 적용, 공분산 행렬(Covariance matrix)의 역행렬(Inverse matrix)의 수치적 안정성 향상 등을 시도하고 있습니다. 지금까지 제시된 모든 방법론은 기하학(Geometry), 선형대수학(Linear Algebra), 미분적분학(Calculus) 등 고전적 수학 영역에서 파생되었습니다. 상관 행렬(Correlation matrix)은 벡터 공간(Vector space) 내에서 선형대수학적 관점에서 두 벡터 간 각도의 코사인(Cosine) 값을 측정합니다. 각 노드(Node)가 다른 노드를 대체할 수 있는 잠재적 후보인 완전히 연결된 그래프(Fully connected graph)로 모델링된다는 사실과, 벡터 공간이 트리(Tree)로도 표현될 수 있는 속성 때문에 이차 최적화기(Quadratic optimizer)가 불안정해질 우려가 있습니다. '행렬 반전'이란 용어는 네트워크 내에서 부분적 상관관계를 평가하는 컴퓨터 알고리즘(Process)을 가리키는데, 예컨대 50×50 크기의 공분산 행렬이 제안하는 연결은 총 1225개의 엣지(Edges)와 노드를 가집니다.

복잡성은 상대적으로 중요하지 않은 예측 오차를 크게 확대시켜 결국 오답으로 이어지게 합니다. 항상 우리는 직관적으로 불필요한 연결을 제거하는 방식이 더욱 합리적인 선택으로 보입니다.

이러한 연결 구조가 실제 세계에서 어떤 의미를 가지는지 고민해 봅시다. 예를 들어, 한 투자자가 주식(Stocks), 채권(Bonds), 헤지펀드(Hedge funds), 사모펀드(Private equity), 부동산(Real estate) 등 다양한 유형의 자산(Assets)으로 구성된 포트폴리오(Portfolio)를 구축하려 합니다. 일부 투자 옵션은 서로 대체 가능해 보이지만, 다른 투자들은 서로 보완 관계에 있는 것처럼 보입니다.

예컨대 유동성(Liquidity), 규모(Size), 산업(Sector) 및 지역(Location)을 기준으로 기업을 분류할 수 있으며, 동일한 카테고리 내 경쟁을 하는 것으로 볼 수 있습니다. 만약 투자자가 스위스의 소규모 커뮤니티 은행이나 부동산 대신 JP 모건과 같은 미국의 대형 상장 금융주(Big cap US bank stock)에 투자하기로 결정할 경우, 골드만 삭스와 같은 다른 대형 상장 은행의 비중을 조정하는 것을 고려할 수 있습니다. JP모건은 미국에서 가장 큰 상장 금융주 중 하나입니다. 그러나 현재의 상관관계 매트릭스는 이러한 계층적 관계(Hierarchical relationship)를 반영하지 않습니다.

계층 구조가 없으므로 자산의 가중치(Weights)가 부적절한 방식으로 자유롭게 변동될 수 있는데, 이러한 현상이 바로 조건부 주식 할당법(CLA, Conditional Liquidity Allocation)의 불안정성의 원인이 됩니다. 이에 반해, 트리 구조(Tree structure)는 계층적 관계를 보여주는데, 두 가지 주요한 특성을 가집니다:

(1) N개의 노드를 연결하는 엣지는 N-1개에 불과하므로 가중치 재분배는 서로 다른 계층 수준의 노드 간에만 일어납니다.

(2) 자산 클래스(Asset classes)에서 개별 주식(Stocks) 및 산업(Sectors)에 이르기까지, 포트폴리오 관리자(Portfolio managers)의 수에 따라 가중치가 상위 레벨에서 하위 레벨로 분배됩니다.

계층 구조(Hierarchical structure)를 활용함으로써 보다 효율적이고 안정적인 포트폴리오 구성이 가능하며, 더욱 직관적인 결과를 도출할 수 있습니다. 본 절에서는 특히 그래프 이론(Graph theory)과 머신 러닝(Machine learning)을 이용하여 CLA와 관련된 함정들을 피할 수 있는 새로운 포트폴리오 구축 방법을 조망할 것입니다. 계층적 위험 평등 접근법(HRP, Hierarchical risk parity)은 공분산 행렬에 담긴 정보를 활용하지만 역행렬이나 양의 정부호(Positive definiteness)가 필요하지 않습니다. HRP는 단일 공분산 행렬을 기반으로 포트폴리오를 계산할 수 있으며, 알고리즘은 트리 클러스터링(Tree clustering) 단계, 반대각선화(Inverse-variance weighting) 단계, 반복적 이분법(Iterative bisection) 단계 등 세 가지 단계에서 수행됩니다.

9.12.3 유용한 재무 함수

일반적으로 머신러닝 기반 투자 전략을 구축할 때 우리의 목표는 각 요소가 유기적으로 결합하여 좋은 수익률을 기대할 수 있을 때만 투자에 나서는 것입니다. 이런 접근의 한 예는, 한 시장 체제(market regime)에서 다른 시장 체제로의 전환입니다. 구조적 변화(structural breaks)는 이러한 변화의 또 다른 예시입니다. 평균 반전(mean reversion) 패턴에서 임펄스(impulsive) 패턴으로의 전환도 생각해볼 수 있습니다. 대다수의 시장 참여자들은 이러한 전환 기간 동안 주의를 게을리하여 비싼 대가를 치르게 됩니다. 이런 잘못된 판단은 다양한 수익 창출 전략의 기반을 이루며, 한쪽이 패배하는 이들은 실수를 깨달아 자신의 전략을 수정하기에는 너무 늦은 경우가 많습니다. 그들은 악화되는 상황 속에서 결국 자신의 포지션을 고수하고, 상황이 다시 호전될 것이라는 희망에 매달리며 비합리적으로 행동합니다. 때로는 절박한 심리 상태에서 자신의 포지션을 증가시켜 상황을 더욱 나쁘게 만들기도 합니다. 향후, 그들은 패배를 중단하거나 적어도 그러해야 한다는 시점에 도달하게 됩니다. 가장 이상적인 위험-보상(risk-reward) 교환은 바로 구조적 변곡점에서 발견될 수 있습니다.

10장. 맺음말

금융 분야에서 인공지능(AI)의 응용은 혁신적인 변화의 물결을 일으키고 있습니다. 이 책을 통해 우리는 AI가 금융 서비스의 다양한 영역에서 어떻게 활용되고 있는지, 그리고 이러한 기술이 기업, 직원, 그리고 금융 전문가들에게 어떤 혜택을 가져다주고 있는지 살펴보았습니다. AI의 도입은 단순히 기술적 진보를 넘어서, 금융 업계의 운영 방식과 고객 서비스 제공 방식에 근본적인 변화를 가져오고 있습니다.

AI 기술의 발전은 금융 기관이 대출 손실을 줄이고, 결제 보안을 강화하며, 규정 준수 프로세스를 자동화하는 등의 방식으로 운영 효율성을 높이는 데 기여하고 있습니다. 또한, AI는 고객과의 상호작용을 자동화하고, 개인화된 서비스를 제공함으로써 고객 경험을 개선하는 데 중요한 역할을 하고 있습니다. 이러한 변화는 금융 서비스의 접근성과 편리성을 크게 향상시키고 있으며, 이는 고객 만족도와 충성도를 높이는 결과로 이어지고 있습니다.

그러나 AI의 도입과 활용은 여러 도전과제를 수반합니다. 데이터 보호와 온라인 보안은 AI 시스템을 구현하는 과정에서 중요한 고려사항입니다. AI 시스템은 새로운 유형의 보안 위협에 취약할 수 있으며, 이는 금융 기관이 고객 데이터를 보호하고 신뢰를 유지하는 데 있어 중대한 도전이 될 수 있습니다. 따라서 금융 기관은 AI 기술을 도입함에 있어 사이버 보안을 강화하고, 데이터 보호 규정을 준수하는 것을 최우선으로 고려해야 합니다.

AI의 미래는 밝으며, 이 기술은 계속해서 금융 서비스 분야에서 중요한 역할을 할 것입니다. AI는 금융 기관이 더 효율적이고, 효과적이며, 고객 친화적인 방식으로 운영될 수 있도록 지원합니다. 하지만 AI 기술의 성공적인 적용을 위해서는 기술적, 윤리적, 법적 문제에 대한 지속적인 연구와 논의가 필요합니다. 금융 기관, 정책 입안자, 그리고 기술 개발자들은 AI 기술이 가져올 혜택을 극대화하고 잠재적인 위험을 최소화하기 위해 협력해야 합니다.

결론적으로, 인공지능은 금융 분야에서 끊임없는 혁신과 발전을 촉진하는 핵심 동력입니다. 이 책을 통해 우리는 AI가 금융 서비스를 어떻게 변화시키고 있는지, 그리고 이러한 변화가 기업과 개인에게 어떤 의미를 가지는지에 대한 깊은 이해를 얻을 수 있었습니다. AI의 여정은 여전히 초기 단계에 있으며, 앞으로 이 기술이 금융 분야에 가져올 변화와 혁신은 상상을 초월할 것입니다.